周作人著作

鲁迅的故家

钟叔河——编订

岳麓书社·长沙

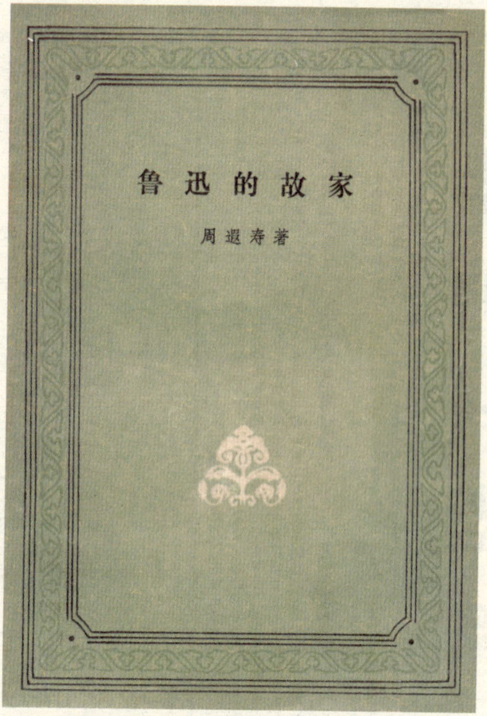

人民文学出版社本《鲁迅的故家》

编者的话

钟叔河

一九八七年一月三日《光明日报》上，岳麓书社刊出了我拟稿的一帧广告（左图），宣布了书社和我对重印周作人著作的观点：

“人归人，文归文。周作人其人的是非功过是另一问题，其书的主要内容是对传统文化和国民性进行反思，对中国—西方和中国—日本的文化历史进行比较研究，今之读者却不可不读。……”

随即便开始出书。既出周作人著作的单行本，也出精装合订本。两年之间，出了二十四种。

书当然不是想出便能出的，得按规矩，走程序。周家授权了，报告批复了，宋木文、杨牧之、伍杰各位领导都当面或来信表示应允和支持了，便能够出了。

出就得出好。当时强调了两条：（一）因为均系据旧本重印，所以一定要认真校订，尽力改正旧本误植失校的错误；（二）因为手稿不存，无法对勘，所以一定要详出校记，改动处一概保留原文，承担责任。

这两条，读者看来大都是认可的。直到如今，在旧书网上，八十年代"岳麓版"的周作人著作，始终都卖得不错。

现在，岳麓书社决定又来出版周作人著作，仍然要我负责编订，做法则一仍其旧。主要还是这些书，还是这两条，新的广告也就不必再做了。

鄢琨君三十年前和我同编了这些书，此次仍然合作，蒋浩君也参加了进来。校记原列表在书末，如今改作尾注。二君新增校改之处，分别标出"鄢校""蒋校"，特此说明，并志感谢。

二〇一八年五月十五日于长沙。

出版题记

《鲁迅的故家》，一九五三年三月“上海出版公司”初版，一九五七年九月人民文学出版社重版，均署周遐寿著，今据后者校订重印，有总序、后记，所收文章，分作四分。

第一分《百草园》收文九十五篇，前六十二篇先于一九五一年七至八月刊《亦报》同名专栏，署名十山。

第二分《园的内外》收文三十三篇，亦均先后刊于《亦报》，多署名鹤生。不过在入集时，有的题文照收，如《孔乙己时代》《咸亨的老板》；有的则改动了题目，如《水果与仙丹》便改作《水果莲生》了。

第三分《鲁迅在东京》收文三十五篇，全部于一九五一年五至六月在《亦报》同名专栏中发表过，署名十山。

第四分《补树书屋旧事》收文十五篇，也全都在《亦报》同名专栏中刊出过，署名仲密，时间是一九五二年一至二月。

鲁迅的故家，即作者的故家，在东京和补树书屋，二人吃住也在一起。书虽题名鲁迅，初版还标明为“鲁迅研究资料”，其实也是在写他自己啊！

二〇二〇年六月五日，锺叔河记。

目录

第二分　园的内外

第三分　鲁迅在东京

第四分　补树书屋旧事

总序

我将我所写的《百草园》杂记印成单行本，又从别的杂文中间选取相关的若干篇，编为第二部分，名曰“园的内外”，又把《鲁迅在东京》和《补树书屋旧事》那两部分加在里边，作为附录。这一册书共总有一百多篇文章，差不多十万字，写时也花了四五个月工夫，但是它有一个缺点，这是陆续写了在《亦报》上发表的，缺少组织，而且各部分中难免有些重复之处，有的地方也嫌简略或有遗漏，现在却也不及补正了，因为如要订补，大部分就须要改写过，太是费事了，我想缺少总还不要紧，这比说的过多以至中有虚假较胜一筹吧。至于有些人物，我故意略过的也或有之，那么这里自然更无再来加添之必要了。

一九五二年二月二十九日，周遐寿记于北京。

第一分　百草园

一　关于百草园

百草园的名称，初见于鲁迅的回忆文中，那时总名还叫作“旧事重提”，是登在《莽原》上的，这一篇的题目是“从百草园到三味书屋”。这园是实在的，到现今还是存在，虽然这名字只听见老辈说过，也不知道它的历史，若是照字面来说，那么许多园都可以用这名称，反正园里百草总是有的。不过别处不用，这个荒园却先这样的叫了，那就成了它的专名，不可再移动了。

这园现在是什么情形，只要有人肯破费工夫，跑去一看，立即可以明白了。但是园虽是无生物，却也同人一样，有它的面目和年龄，今日所见只是现在的面目，过去有比人还长的年月，也都是值得记值得说的。古人作《海赋》，从海的上下四旁着手，这是文人的手法，我们那里赶得上，但这意思却是很好的。园属于一个人家，家里有人，在时代与社会中间，有些行动，这些都是好资料，就只可惜我们不去记它，或者是不会记。这回我想来试试看，虽然会不会，能不能，那全然还不知道。

说得小一点，那么一个园，一个家族，那么些小事情，都是鸡零狗碎的，但在这空气中那时鲁迅就生活着，当作远的背景看，也可以算作一种间接的材料吧。说得大一点呢，是败落大人家的相片。鲁迅于清光绪戊戌（一八九八）年离开家乡，所以现今所写的也以此为界限，但或者有拉到庚子年去的时候也说不定。就是庚子也罢，那已是五十年前的事了，记忆不能完全，缺点自必多有，但我希望那只是遗漏的一方面，若是增饰附会，大概里边总是没有的。

二　从园说起

《朝华夕拾》的第六篇是《从百草园到三味书屋》，起头的几段是说百草园的情状的，其文云：

> 我家的后面有一个很大的园，相传叫做百草园。现在是早已并屋子一起卖给朱文公的子孙了，连那最末次的相见也已经隔了七八年，其中似乎确凿只有一些野草，但那时却是我的乐园。
>
> 不必说碧绿的菜畦，光滑的石井阑，高大的皂荚树，紫红的桑椹，也不必说鸣蝉在树叶里长吟，肥胖的黄蜂伏在菜花上，轻捷的叫天子（云雀）忽然从草间直窜向云霄里去了。单是周围的短短的泥墙根一带，就有无限趣味。油蛉在这里低唱，蟋蟀在这里弹琴。翻开断砖来，有时会遇见蜈蚣，还有斑蝥，倘若用手指按住它的脊梁，便会拍的一声，从后窍喷出一阵烟雾。何首乌藤和木莲藤缠络着，木莲有莲房一般的果实，何首

> 乌有臃肿的根。有人说，何首乌根是有像人形的，吃了便可以成仙，我于是常常拔它起来，牵连不断地拔起来，也曾因此弄坏了泥墙，却从来没有见过有一块根像人样。如果不怕刺，还可以摘到覆盆子，像小珊瑚珠攒成的小球，又酸又甜，色味都比桑椹要好得远。
>
> 长的草里是不去的，因为相传这园里有一条很大的赤练蛇。

这是一篇很简要的描写，把百草园的情景一目了然的表示出来了，现在要略为说明园的上下四旁，所以先就上面所说的事物加以一点补充。

三　东昌坊口

且说这百草园是在什么地方？因为我们所说的是民国以前的事，所以这应当说是浙江的会稽县城内东陶坊，通称东昌坊口，门牌大概是三十四号吧，但在那时原是没有门牌的。关于东昌坊口，在志书上没有什么记载，但是明清人的文章也偶有说及的，如《毛西河文集》中有《题罗坤所藏吕潜山水册子》，其起首云："壬子秋遇罗坤蒋侯祠下，屈指揖别东昌坊五年矣。"又《六红诗话》中引张岱的《快园道古》，有一则云：

苏州太守林五磊素不孝，封公至署半月即勒归，予金二十，命悍仆押其抵家，临行乞三白酒数色亦不得，半途以气死。时越城东昌坊有贫子薛五者，至孝，其父于冬日每早必赴混堂沐浴，薛五必携热酒三合御寒，以二鸡蛋下酒。袁山人雪堂作诗云："三合陈年敌早寒，一双鸡子白团团，可怜苏郡林知府，不及东昌薛五官。”

这东昌坊从西边十字路口算起是毫无问题的，但东边到什么地方为止呢？东边有桥跨河上，名覆盆桥，在这桥与十字路口之间并无什么区别，不知道究竟这两个地名是怎么划分的。大概在没有订定门牌之前，地名多少是可以随便的，正如无名的《鲁迅的家世》文中所说（此文见于一九三九年十一月《文艺阵地》上），那里的周氏一派分三处居住，靠近桥边的一家大门在路南，可是房屋却在河的南岸，要走过一条私有的石桥，所以名为“过桥台门”，迤西路北的一家是“老台门”，再往西是“新台门”，就是百草园的所在地，实实在在是东昌坊口了（虽然离十字路口也还有十来家门面），却都是称为覆盆桥周家的。

四　新台门

《鲁迅的家世》的第一节说，覆盆桥周家分作三房，叫作致房中房及和房，中房的大部分移住在过桥台门，致房的大部分移住在新台门，还有一部分留在老屋里。这话是说得很对的，但末了一句稍欠明了，或者可以改为和房以及致房中房的小部分都留在老屋里，致房底下又分智仁勇三房，留在老屋的是勇房的一派。

我们所要说的只是百草园，所以那老屋与过桥两处只好按下不表了。在新台门的智仁两房底下各分作三房，智房下是兴立诚三房，仁房下是礼义信三房，鲁迅是属于兴房的。在鲁迅的好些小说以及《朝华夕拾》里，出现的智仁两房的英雄颇不少，现在不及细说，只好等后面有机会再谈吧。

台门的结构大小很不一定，大的固然可以是宫殿式的，但有些小台门也只是一个四合房而已。例如鲁迅的外婆家在安桥头，便是如此，朝南临河开门，门斗左右是杂屋，明堂东为客室，西为厨房，中堂后面照例是退堂，两旁前后各两间，作为卧房。退堂北面有一块园地，三面是篱笆。普通大一点的就有几进，大抵大门仪门算一进，厅堂各一进，加上后堂杂屋，便已有五进了，大门仪门及各进之间都有明堂，直长的地面相当不小，至于每进几开间，没有一定，大抵自五间以至九间吧。就新台门来说，讲房分应当直说，但讲房屋却该先来横说才行，因为厅的间架与堂以后住屋的大小不同，所以要在这中间分一段落。厅屋三间，迤西一带是大小书房及馀屋，后来出租开张永兴寿材店的，这一部分有必要时再来说它。从大堂前起便是整排的房屋，西边六间，所以这一进是九开间的，但后堂前三间外，因为地面稍收小，只有五间带一条弄堂，末一进也是同样的宽，都是杂屋，没有什么结构。住屋分配是堂屋左右及迤西六间（即第三进），又第四进西偏三间半，第五进的西半，归智房居住，仁房住在第三四进的东部，后园由智仁两房另行分配使用。

五　后园

百草园的名称虽雅，实在只是一个普通的菜园，平常叫作后园，再分别起来这是大园，在它的西北角有一小块突出的园地，那便称为小园。大园的横阔与房屋相等，那是八间半，毛估当是十丈，直长不知道多少，总比横阔为多，大概可能有两亩以上的地面吧。小园一方块，恐怕只有大园的四分之一。

大园的内容可以分了段来说。南头靠园门的一片是废地，东偏是一个方的大池，通称马桶池，仁房的园门沿着池边的弄堂在池北头向西开门。智房的园门在西边正中，右面在走路与池的中间是一座大的瓦屑堆，比人还要高，小孩称它为高山堆，来源不详，大抵是太平天国战后修葺房屋，将瓦屑放在这里，堆上长着一株皂荚树，是结“圆肥皂”的，树干直径已有一尺多，可以知道这年代不很近了。路的左边靠门是垃圾堆，再往北放着四五只粪缸，是智房各派所使用，存以浇菜或是卖给乡下人的。再说北头的一片，东边三大间瓦房，相当高大，材料也很不坏，不晓得原来是什么用的，一直也不看见有什么用，总是空着，名为“三间头”，是仁房的所有。西边有一口井，上有石阑，井北长着一棵楝树，只好摆个样子，却不能遮阴，井的西偏便是往小园去的小路。园的中间一段约占全部五分之三吧，那全是可以种植的土地，从中央一直线划开，由智仁两房分用，智房西边部分又分成三家，但因立诚两房缺少人力，所以那些园地常由兴房借用，种些黄瓜白菜萝卜之类。

小园一方块，搭在大园的西北角外，其东面一半贴着大园，一半向北突出，其他三面全与别家园地接界。西南角有一个清水毛坑，全用石板造得很好，长方形，中间隔断，但永不曾使用，只积着好些水，游泳着许多青蛙，前面有石蒜花盛开，常引诱小孩跑到这冷静的地方去。东北角有一头板门，传说是从前挑肥料出去的门，外通咸欢河沿，这地名虽是这样写，但口头却读如“咸沙河沿”，如不是这么说，便没有人懂得了。

六　园里的植物

园里的植物，据《朝华夕拾》上所说，是皂荚树，桑椹，菜花，何首乌和木莲藤，覆盆子。皂荚树上文已说及，桑椹本是很普通的东西，但百草园里却是没有，这出于大园之北小园之东的鬼园里，那里种的全是桑树，枝叶都露出在泥墙上面。传说在那地方埋葬着好些死于太平军的尸首，所以称为鬼园，大家都觉得有点害怕。木莲藤缠绕上树，长得很高，结的莲房似的果实，可以用井水揉搓，做成凉粉一类的东西，叫作木莲豆腐，不过容易坏肚，所以不大有人敢吃。何首乌和覆盆子都生在“泥墙根”，特别是大小园交界这一带，这里的泥墙本来是可有可无的，弄坏了也没有什么关系。据医书上说，有一个姓何的老人因为常吃这一种块根，头发不白而黑，因此就称为何首乌，当初不一定要像人形的，《野菜博录》中说它可以救荒，以竹刀切作片，米泔浸经宿，换水煮去苦味，大抵也只当土豆吃罢了。覆盆子的形状，像小珊瑚珠攒成的小球，这句话形容得真像，它同洋莓那么整块的不同，长在绿叶白花中间，的确是又中吃又中看，俗名“各公各婆”，不晓得什么意思，字应当怎么写的。儿歌里有一首，头一句是“节节梅官柘”，这也是两种野果，只仿佛记得官柘像是枣子的小颗，节节梅是不是覆盆子呢，因为各公各婆亦名各各梅，可能就是同一样东西吧。

在野草中间去寻好吃的东西，还有一种野苎麻可以举出来，它虽是麻类而纤维柔脆，所以没有用处，但开着白花，里面有一点蜜水，小孩们常去和黄蜂抢了吃。它的繁殖力很强，客室小园关闭几时，便茂生满院，但在北方却未曾看见。小孩所喜欢的野草，此外还有蛐蛐草，在斗蟋蟀时有用，黄狗尾巴是象形的，芣苡见于《国风》，医书上叫作车前，但儿童另有自己的名字，叫它作官司草，拿它的茎对折互拉，比赛输赢，有如打官司云。蒲公英很常见，那轻气球似的白花很引人注目，却终于不知道它的俗名，蒲公英与白鼓钉等似乎都只是音译，要附会的说，白鼓钉比蒲公英还可以说是有点意义吧。

七 园里的动物

百草园里的动物，我们根据《朝华夕拾》中所记的加以说明，这大约可以分作三类。其一是蝉，蟋蟀与油蛉。蝉俗名知了，鲁迅的祖父介孚公曾盛称某人试帖的起句“知了知花了”，以为很有情趣，但民间这“知”字乃是读作去声的。普通的知了是那大的一种，就是诗人所称为螓首蛾眉的，此外还有一种小而色青的，名为“山知了”，在盛夏中高声急迫地叫，声如知了遮了，所以又一名“遮了”。蟋蟀是蛐蛐的官名，它单独时名为叫，在雌雄相对，低声吟唱的时候则云弹琴，老百姓虽然不知道司马相如琴心的故事，但起这名字却极是巧妙，我也曾听过古琴专家的弹奏，比起来也似乎未必能胜得过。普通的蛐蛐之外，还有一种头如梅花瓣的，俗名棺材头蛐蛐，看见就打杀，不知道它们会叫不会叫。又有一种油唧蛉，北方叫作油壶卢，似蟋蟀而肥大，虽然不厌恶它，却也永不饲养，它们只会嘘嘘的直声叫，弹琴的本领我可以保证它们是没有的。油蛉这东西不知道在绍兴以外地方叫做什么，如要解说，只能说是一种大蚂蚁似的鸣虫吧。好几年前写过一首打油诗，其词云：

辣茄蓬里听油蛉，小罩扪来掌上擎，

瞥见长须红项颈，居然名贵过金铃。

注云：

油蛉状如金铃子而细长，色黑，鸣声瞿瞿，低细耐听，以须长颈赤者为良，云寿命更长。畜之者以明角为笼，丝线结络，寒天县着衣襟内，可以经冬，但入春以后便难持久，或有养至清明时节，于上坟船中闻其鸣声者，则绝无而仅有矣。

其二是黄蜂，蜈蚣与斑蝥，还有赤练蛇。黄蜂本来只是伏在菜花上，但究竟要螫人的，也不会得叫，所以只好归入这一类里。蜈蚣与斑蝥平时不会碰见，除非在捉蛐蛐，把断砖破瓦乱翻的时候，它们虽是毒虫，但色彩到底还好看，所以后来一直留下一个印象，不比北方的蝎子，像是妖怪似的，看了要叫人寒毛直竖。赤练蛇只是传说说有，不曾见过，俗名火炼蛇，虽然样子可怕，却还不及乌梢蛇，因为那是说要追人的。

八 园里的动物二

上文所说的动物还有一类未讲到，即是其三鸟类。《朝华夕拾》中说有叫天子即云雀从草间飞上天去，这个我没有见过，但是有些人玩百灵，关在鸟笼子里，既有此鸟，那么它来园里也是可能的，我只是不曾看见罢了。此外性子很急的白颊的张飞鸟，传说是被后母或是薄情的丈夫推落清水毛坑淹死的女人所化的清水鸟，也都常来，还有一种鸟名叫“拆书”，鸣声好像是这两个字，民间相信听到它的叫声时，远人将有信来了。这些鸟都不知道在书上是叫什么名字。至于麻雀那自然多得很，鲁迅所记雪地里捕鸟，所得的是麻雀居多。那一回是前清光绪癸巳（一八九三）年的事，距今已是五十七年了。那年春初特别寒冷，积雪很厚，鸟雀们久已无处觅食，所以捕获了许多，在后来便再也没有这样的机会，不全是为的拉绳子的人太性急，实在是天不够冷，雪不够大，这原因是很简单的。

四脚兽当然在园里也有，但是《朝华夕拾》里不提起，我们也就把它略掉了。不过有一件东西稍为特别，不可不一说，虽是本在西邻梁家，但中间只隔着一段矮泥墙，可能也会得走过来的。这是什么呢？如梁家的人所说，那是猪精。单说猪精不大确切，如用上海话可以说是猪猡精，绍兴则另有说法，应该叫作什么猪精才对，这上边一个字读如尼何切，《越谚》上写作典字上加两个口，与“咒”字是一类，怕排字为难，只好不用。有一天，大概在癸巳年略后吧，鲁迅在园里玩耍，听见梁家园中人声鼎沸，跑到泥墙缺处去看，只见一个男人正在投池，许多男妇赶到要拉他起来，有人讨厌外人来看，几个女人说道：“人多些也好，威光可以大一点。”据说那人为园内的猪精所凭，所以迷糊投水云，其实大概为的什么打架，当时很清醒的站在池中，大声道：“我不要再做人了。”俯首往水里一钻，这情形很是滑稽，多少年后鲁迅一直引为谈助，只可惜他不曾利用，放到小说里去，但是这猪精的一个典故却总是值得保存下来的。

九　菜蔬

园是菜园，那里的主体自然是菜蔬了。乡下一年里所吃的菜蔬不算少，现在只是略说园里所有的。《朝华夕拾》的小引中有一节云：

> 我有一时，曾经屡次忆起儿时在故乡所吃的蔬果：菱角，罗汉豆，茭白，香瓜。凡这些都是极其鲜美可口的，都是使我思乡的蛊惑。

这里只有罗汉豆是园里所有的，可以一说，也正是值得说。有江苏的朋友在福建教中学国文的，写信来问罗汉豆是什么东西，因为国文教材中有这名字，没有什么地方查考。他如没有范寅的《越谚》，其查不到是无怪的。我们引用范君的话来解说："此豆扁大，只能用菜，吴呼蚕豆。"上边还有一项蚕豆，注云："此豆细圆，吴呼寒豆。"总结一句，罗汉豆即是蚕豆，而蚕豆则是豌豆。我以本地人的资格来说话，虽然并不一定拥护罗汉豆这名称，但总觉得蚕豆是叫得很不适当的。它那豆荚总有拇指那么粗，那里像什么蚕呢！这是很平常的东西，但如种在园里，现时摘来，煮了“淡口吃”，实在是极好的，我不赞成《越谚》用菜之说，如放在菜里便不见得怎么可回忆了。

此外园里的出品，最为儿童所注意的，是黄瓜和萝卜。黄瓜买了秧来种，一株秧根下一块方土，整齐平滑，倒像是河泥种的，长出藤来的时候给用细竹搭一个帐篷似的瓜架，就只等它开花结实好了。萝卜买种子来下，每年好丑不一样，等秧长了两寸疏散一下，拔去生得太密或细小的，腌了来吃，和鸡毛菜相仿，别有风味。小孩得了大人的默许，进园里去可以挑长成得刚好的黄瓜，摘下来用青草擦去小刺，当场现吃，乡下的黄瓜色淡刺多，与北方的浓青厚皮的不同，现摘了吃味道更是特别。萝卜看它露出在地面上的部分，推测它的大小，拔起来擦干净了，用指甲剥去皮，就可生吃。这没有赛秋梨的水萝卜那么多水分，可是要鲜得多。此外南瓜茄子，扁豆辣茄，以及白菜油菜芥菜，种类不少，但那些只是做菜用的，儿童们也就不大觉得有什么兴趣了。

一〇 晒谷

园地上白菜与萝卜收获之后，一时没有什么东西种，地面是空着，可是并不曾闲着。因为在冬天那地方是用以晒谷的。大概在前清光绪癸巳（一八九三）年时智兴房还有稻田四五十亩，平常一亩规定原租一百五十斤，如七折收租，可以有四千多斤的谷子，一家三代十口人，生活不成问题。谷收来之后，一时放在仓间里，实在只是一间空屋，三面墙壁和地下铺了竹簟，至于窗门还是破缺，对于鼠雀却是没有什么防备的。谷不很干燥，须得把它晒干了，这才能存储，那一段落便是晒谷的工作。

晒谷之前要先预备晒场。本来是园地，一林一林的，这就是说把土锄成长方片段，四边低下，以便行走，或亦有泄水之用，现在便将它锄平，成为一整块的稻地。稻地是乡间的名称，城里只有明堂，那是大的天井，如位在厅堂之间，照例南北有屋，东西有走廊，中间一片空地，用大石板满铺的，稻地则只是屋前的泥地，坚实平坦而开朗，承受阳光，打稻以及簸扬晒晾都可以在这里做得，比起明堂来用处大得多了。

平常种园，做晒场以及晒谷，都由一个工人承办，他不是长年，因为他家在海边也种着沙地，只抽出一部分工夫来城里做工，名称叫作忙月。“忙”字却读作去声。在百草园做工的是会稽杜浦人，名叫章福庆，因为“福”字犯了鲁迅的祖父的讳，所以主人叫他阿庆，老太太叫他老庆，小孩们都叫他庆叔，这是规矩如此，如看见仁房的一个老工人，也是叫他王富叔的。庆叔晒谷有他的一副本领，他把簟摊开，挑谷出去，一张簟上倒一箩谷，拿起一把长柄的横长的木铲，将谷从中央撒向四面去，刚刚摊到簟边，到了中午，他拉簟的四角，再使谷集中成为一堆，重新摊布，教它翻一个面。他使用那木铲非常纯熟巧妙，小时候看惯了，认为是晒谷的正宗，看许多人都用猪八戒式的木钉爬，在簟上爬来爬去，觉得很是寒伧，这个意见直到后来也还改变不过来。说也奇怪，那种一块长方木板，略为坡一点的钉牢在长柄上的晒谷器具，确很少见，难道真是他的创作么？

一一　园门口

后园门口的两间是庆叔的世界，也是小孩们所爱去的地方。那里有什么好玩呢？第一，门外面是那么大的一个园，跑出去玩固然好，就是坐在门槛上望着那一片绿的草木叶，黄白的菜花，也比在房间或明堂里有趣得多。第二，那里是永远的活动的所在，除非那工人不来，园门紧闭着，冷静得怕爬出蛇和老鼠来，否则总有什么工作在那里做。这些活动不但于小孩很有兴趣，也能增进他不少的知识的。

庆叔是个农民，但他又有一种手艺，便是做竹作。在晒谷以前，他有好几天要作准备，做补簟的工作。把竹簟的破缺霉朽的地方拆去，用新的竹篾补上，似乎很是简易单调，可是看着很有意思，不但将小毛竹劈开，做成篾片，工程繁多，就是末了蹲在簟上，拿那扁长的铁片打诊，抽去烂篾，补入新的，仿佛有得心应手之妙，看了很感觉愉快。他会做竹的细工，如提合花合，以至编入福禄寿喜字样的考篮，也都可以制作，特别叫人佩服的是他还会得做竹的玩具，俗语叫作嬉家生的（家生即家伙，三字连说时家字读作去声）。那些竹制的箫，蛇龙与摔跤打拳的玩具，已经有卖的了，他所做的乃是市上没有的土货，记得有一样是用竹皮编成扁圆形的球，下有把手，球是漏空的，里边又有一个小球，中装石子，摇起来哗喇有声，质朴而很经用。

平时常见到的工作是做米。这工程有牵砻，扇风箱和舂米三段，写的舂字读音却作桑。与牵砻相连的是锻砻，小孩也很喜欢看，用那像长手指甲的凿槌打过去，一行行的现出新的砻齿来。舂米看去很费劲，所以去看的时候很少。乡下叫石臼曰捣臼，杵曰捣杵，读若齿，照例是上小下大，上头部分是木做的，不知怎的庆叔所用的捣杵似乎较大，后来看别人家叫阿Q的老兄去舂米，他带去的石杵要小一号，心中觉得它不合式，这同晒谷用具一样，在小时候先入为主的势力是很大的。

一二　灶头

园门里的一间是庆叔的工作场，东边一间是他睡觉的地方，隔着一个狭长的天井，前面便是灶头了。灶头间是统间，可是有三间的大，东头一座三眼灶，西头照样也有，但是现在只有基地，不曾造灶，因为那里本来是兴立两房公用，立房出了《白光》里的主人公以后，不思议的全家母子孙四人都分别漂泊在外，一直没有使用，所以便借来堆积煮饭的稻草了。各地的灶的异同，我有点说不清楚，汪辉祖在《善俗书》中劝湖南宁远县人用绍兴式的双眼灶，叙述得很详细，似乎别处用这样灶的不多，但是写起来也很麻烦，而且记得什么连环图画上画过，样式差不多少，要看的人可以查考，所以就不多讲了。

灶在屋东头靠北墙，东南角为茶炉，用风箱烧砻糠，可烧水两大壶，炉与灶下之间放置凉厨。灶的南面置大水缸，俗名七石缸，半埋地中，用以储井水，西北又是一只，则是腌菜缸，缸前安放方板桌及板凳二三。面南为窗，例当有窗门，但在太平天国战役中都已没有了，后来只有住室算是配上了，厅堂各处一直还是那样，厨房因为防猫狸闯入，装上了竹片的栅栏门，冬夏一样的不糊纸。中间窗下放着长板桌，上陈刀砧，是切肉切菜的场所，剥豌豆，理苋菜这些事，则是在方板桌上去做了。往西放着两个鸡厨，是鸡的宿舍，厨房门就在这西南角。

假如不遇见大旱天，平常饮料总是用天落水即雨水，尽管缸里钻出许多蚊子来，至多是搁一点白矾罢了。食用水则大抵是井水，须得从后园的井里去挑来，存放在大水缸里，不知怎的大家很怕掉落在水缸里的饭米粒，以为这被水泡开了花，人吃了水便要生肺痈，预防的办法是在缸中放一个贯众，说它能够把那饭米粒消化了。贯众见于本草的山草类中，不晓得是医什么病的，据现代学者研究，说各地所卖的是四五种植物的根，并不只是一种。山里人来卖的漆黑一团，本来未必是活的了，即使不曾死，以山草的根去浸在水里，它也活不长久，更不要说去吃饭米粒了。

一三 厨房的大事件

乡下饭菜很简单，反正三餐煮饭，大抵只在锅上一蒸，俗语曰熯，便可具办。这方法在《善俗书》上说的很得要领，云：

> 锅用木盖，高约二尺，上狭下广，入米于锅，以薄竹编架，横置上面，肉汤菜饮之类皆可蒸于架上，一架不足则碗上再添一架，下架蒸生物，上架温熟物，饭熟之后稍延片时，揭盖则生者熟，熟者温，饭与菜俱可吃，便莫甚焉。

只有要煮干菜肉，煎带鱼，炖豆腐，放萝卜汤的时候，才另用风炉或炭炉，这是在一个月中有不了几回的。

因为这个缘故，厨房里每天的事情很是单调，小孩们所以也不大去。但偶然也有特别的事件发生，例如做忌日杀鸡，那时总要跑去看。把一只活生生的鸡拔去脖颈下的毛，割断了喉管和动脉，沥干了血，致之于死，看了不是愉快的事，但是更难听的乃是在水缸沿上磨几下薄刀的声音，后来因此常想到曹孟德，觉得他在吕伯奢家里听了惊心动魄，也是难怪的。此外还有一年一度的事件是腌菜。将白菜切了菜头（俗语有专门名词，大概应该写作帝字加侧刀，读仍作帝），晾到相当程度，要放进大缸里去腌了，这时候照例要请庆叔，先用温水洗了脚，随即爬入七石缸内，在盐和排好的白菜上面反复的踏，每加上一排菜，便要踏好一会儿，直到几乎满了为止。这一缸菜是普通人家一年中重要的下饭，读书人掉文袋，引用《诗经》的话云，“我有旨蓄，可以御冬”，文句虽然古奥一点，这意思倒是很对的。

与厨房相关的行事有上草，大抵也与小孩相关。大灶用稻草，须得问农民去买，草小束曰一脚，十脚曰一束（或当写作禾字旁），买时以十束为一梱，称斤计价，大约二文一斤吧。上草一回的数量平均以五六十梱为准，要看装草的船的大小，这些草放满在厅内明堂内，一梱梱的过秤，小孩的职务便是记账，十梱一行的把斤数写下来。与上草相反的是换灰，将稻草灰卖给海边的农民，他们照例挟着一枝竹竿，在灰堆里戳几下，看有多深，或者有没有大石头垫底，清初石天基的《传家宝》里记有黄色的笑话，以此为材料，可见这风俗在扬州也是有的。

一四　祭灶

灶头最热闹的时候当然是祭灶的那一天。祭灶的风俗南北没有多大差异，只是日期稍有前后，道光时人的《韵鹤轩杂著》中记玄妙观前茶膏阿五事，虽有官三民四乌龟二十五之说，大概实际上二十五是没有的吧。乡下一律是二十三日送灶，除酒肴外特用一鸡，竹叶包的糖饼，《雅言》云胶牙糖，《好听话》则云元宝糖，俗语直云堕贫糖而已。又买竹灯檠名曰各富，糊红纸加毛竹筷为杠，给灶司菩萨当轿坐，乃是小孩们的专责。那一天晚上，一家老小都来礼拜，显得很是郑重，除夕也还要接灶，同样的要拜一回，但那是夹在拜像辞岁的中间，所以不觉得什么了。

具体的说来，百草园祭灶顶热闹的一回，大概是光绪壬辰或是甲午那年吧。那一天，连鲁迅的父亲伯宜公一年三百六十日不去灶头的也到来行礼，这是很希有的事，在小孩们看了是极为希奇而且紧张的。上边所说年代也略有依据，因为如鲁迅自己所说，癸巳的冬天在亲戚家寄食，几乎被当作讨饭，伯宜公于丙申年去世，乙未的冬天病已经很不轻了，所以可能的年代只有乙未前的甲午，或是癸巳前的壬辰，再往前推也还可以，但庚寅辛卯已在今六十年前，记忆恐怕有点模胡，所以不敢的确的这么说了。

这以后的一次明了的印象，要一跳好几年，到了十九世纪的末了，即是庚子年了。那时鲁迅已在南京的学堂，放年假回家来，在祭灶的那一天，做了一首旧诗，署名戛剑生，题目是“庚子送灶即事”。诗云：“只鸡胶牙糖，典衣供瓣香。家中无长物，岂独少黄羊。”

一五　蓝门

现在再往南走几步，与灶头间隔着一个明堂，就是台门里第四进屋的西端，本来这一进都是楼房，共有八间，但只有西边两间属于智房。再详细说是兴立两房所有的。后来立房断绝，在光绪乙巳丙午年间由兴房重建，楼下西偏是一条长弄堂，通到厨房后园去。东边一间是小堂前，后边为鲁老太太的卧房，中间朝南是祖老太太的卧房，东面向堂前开门，后半间作为通路，也就是楼梯的所在。楼上两间为鲁迅原配朱氏住处，后来在海军的叔父的夫人从上海回来，乃将西首一间让给她住。这是一九零五至一九一九年的情形，远在我们所讲的时代以后，现在只是插说一句，暂且按下不表。

这一带的房屋，在改建以前是很破碎荒凉的。弄堂本来是在中间，东边朝南的小间作为妈妈（女用人的名称）的住室。后面即是仓间，楼板楼窗都已没有，只是不漏罢了。西边的楼房也是同一情形，但楼下南向的一间也还可用，那便是立房主人唯一的住宅。那两扇门是蓝色的，所以通称为蓝门。又在朝西的窗外有一个小天井，真是小得可以，大概是东西五尺，南北一丈吧，天井里却长着一棵橘子树，鲁迅小时候在那里读过书，书桌放在窗下，朝夕看着这树，所以那地方又别号橘子屋，虽然这个名称在小孩们以外并不通行。讲起蓝门里的故事来，实在很离奇而阴惨，现今只是一说这个背景，也觉得很有点相配。蓝门紧闭，主人不知何去，夜色昏黄，楼窗空处不晓得是鸟是蝙蝠飞进飞出，或者有猫头鹰似的狐狸似的嘴脸在窗沿上出现，这空气就够怪异的。小孩们惯了倒也不怕，只是那里为拖鸡豹果子狸的逋逃薮，很为主妇们所痛心，这却是小孩所不关心的事情了。

一六　橘子屋读书

蓝门的事真是一言难尽，从那里说起好呢？根据橘子屋的线索，或是讲教书这一段吧，鲁迅在那里读《孟子》，大抵是壬辰年的事，在年代上也比较的早，应当说在先头。

蓝门里的主人比小孩们长两辈，平常叫他作明爷爷，他谱名乃是致祁，字子京。这里须得先回上去，略讲一点谱系，从始迁祖计算下来，致房的先人是九世，称佩兰公，智房十世瑞璋公，以下分派是十一世，兴房苓年公，行九，是鲁迅的曾祖，立房忘其字，行十二，诚房行十四，是兄弟三人。十二老太爷即是子京的父亲，在太平天国时失踪；据说他化装逃难，捉住后诡称是苦力，被派挑担，以后便不见回来，因此归入殉难的一类中，经清朝赏给云骑尉，世袭罔替。照例子京在拜忌日或上坟的时候是可以戴白石顶子的，可是他不愿意，去呈请掉换，也被批准以生员论，准其一体乡试。却又不知怎的不甘心，他还是千辛万苦的要去考秀才，结果是被批饬不准应试，因为文章实在写得太奇怪，考官以为是徐文长之流，在同他们开玩笑哩。实例是举不出来了，但还记得他的一句试帖诗，题目是什么“十月先开岭上梅”之类，他的第一句诗是“梅开泥欲死”，为什么泥会得死呢？这除了他自己是没有人能懂得的了。

一七　橘子屋读书二

子京的文章学问既然是那么的糟，为什么还请他教书的呢？这没有别的缘故，大概因为对门只隔一个明堂，也就只取其近便而已吧。他的八股做不通，“四书”总是读过了的，依样画胡芦的教读一下，岂不就行了么。

可是他实在太不行了，先说对课就出了毛病。不记得是什么字面了，总之有一个“荔枝”的“荔”字，他先写了草字头三个刀字，觉得不对，改作木边三个力字，拿回家去给伯宜公看见了，大约批了一句，第二天他大为惶恐，在课本上注了些自己谴责的话，只记得末了一句是“真真大白木”。不久却又出了笑话，给鲁迅对三字课，用叔偷桃对父攘羊，平仄不调倒是小事，他依据民间读音把“东方朔”写作“东方叔”了。最后一次是教读《孟子》，他偏要讲解，讲到《孟子》引《公刘》诗云，“乃裹糇粮”，他说这是表示公刘有那么穷困，他把活狲袋的粮食也咕的一下挤了出来，装在囊橐里带走，他这里显然是论声音不论形义，裹字的从衣，糇字的从食，一概不管，只取其咕与猴的二音，便成立了他的新经义了。传说以前有一回教他的儿子，问蟋蟀是什么，答说是蛐蛐，他乃以戒尺力打其头角，且打且说道，“虱子啦，虱子啦!”这正是好一对的故典。鲁迅把公刘抢活狲的果子的话告诉了伯宜公，他只好苦笑，但是橘子屋的读书可能支持了一年，从那天以后却宣告中止了。

一八　立房的三代

十二老太爷死难当在咸丰辛酉（一八六一）年，可是十二老太太寿命很长，至庚子后尚在，至少要多活四十年以上。她有一个女儿，嫁给杭州人唐子敦，是以前学老师唐雪航的儿子，住在古贡院，老太太差不多通年就住在唐家。子敦也在家里教书，教法却与他的内弟子京截然不同，据鲁迅的祖父介孚公说，他叫儿子们读书，读多少遍给吃一颗圆眼糖，客人来时书不再读了，小儿们看了碟子里的糖觉得馋，趁主人和客谈话，偷偷的拿起一颗来，放在嘴里舐一下，又去搁在原处。只就这一件事来看，也可以推想这个塾师不大怎么可怕了吧。

子京的夫人早已去世，留下两个儿子，一叫八斤，一叫阿桂，一个是诞生时的分量，一个是月份吧。不知什么缘故他们都出奔了，有人说是因为打的太凶，这也正是可能的事。其中有一个，记不清是谁了，在出奔之后还时常来访问老家，特别是在他的母亲的忌日那天，遇着上供，他算是拜忌日来的，穿着新的蓝布长衫，身上干干净净的，听说给一个什么店家做了养子，关于这事他自然一句不说。他们父子相见很是客气，拜过忌日，主人留客说，“吃了忌日酒去”，客回答说，“不吃了，谢谢”，于是作别而去。这种情形有过多少次难以确说，但我总记得见到过两次，虽然来的是不是同一个人，现在也有点弄不清楚了。

一九 白光

立房的人们如上文所述，分散得七零八落，只有子京一人还常川在家，这就是说在蓝门里教书这一段落。最初只是发现些不通的地方，难免误人子弟，后来却渐有不稳的举动，显出他的精神有病来了。这还是在那读书散伙以前的事，每天小孩虽然去上学，可是蓝门里的生活全不注意，至今想起来也觉得奇怪，不知道那时先生的茶饭真是怎么搞的。但是他家里有一个老女人，叫作得意太娘，那却是清楚的记得的。她的地位当然是老妈子，可是始终不曾见她做老妈子的事，蓬头垢面，蓝衣青布裙，似乎通年不换，而且总是那么醉醺醺的，有个儿子是有正业的工人，屡次来找她却终于不肯回去。有一天下午，她喝醉了撞进书房来，坐在床前的一把太史椅上，东倒西歪的坐不住，先生只好跑去扶住她，她忽然说道，“眼面前一道白光！”我想她大概醉得眼睛发花了，可是先生发了慌，急忙问道，“白光，那里？”他对学生说今天放学了，不久他自己也奔了出去，带回石作土工等人，连夜开凿，快到五更天才散。第二天仍然放学，据说地上掘了一个深坑之后，主人亲自下去检查，摸索到一块石头的方角，很有点像石椁，他一惊慌赶紧要爬上来，却把腰骨闪了，躺了好两天不能教书。这是他的掘藏工作。不知道从那里来的，相传有两句口号，叫作“离井一牵，离檐一线”，因为只是口耳传授，也不晓得这字写得对不对，总之说宅内藏有财物，能够懂得这八个字的意思，就能找到那埋藏的地点。败落大人家的子弟谁都想发财，但是听了这谜语，无法下手，只好放弃，唯有子京不但有兴趣而且还很有把握，在蓝门以内屡次试掘，有一次似乎看得十分准了，叫工人来把石板凿出圆洞，大概可以与埋着的缸口相当吧，在房屋改造以前那个用砖石填补的痕迹一直留存着。这一回比较的大举，还有白光的预兆，所以更是有名，又有小说《白光》加以描写，所以更值得一说。或云朱文公的子孙买了百草园去，在什么地方掘得了那一笔藏，那恐怕也只是谣言吧。

二〇　子京的末路

子京的精神病严重起来，他的末路是很悲惨的。书房散伙之后，有一个时候他还住在蓝门里，后来到近地庙里去开馆，自己也就住在那里了。他的正式发呆是开始于留居蓝门的期间，因为在上学的那时期总还没有那种事情，否则就该早已退学，不等到讲《孟子》了。那是一个夜里，他在房里自怨自艾，不知道为的什么事，随后大批巴掌，用前额磕墙，大声说不孝子孙，反复不已。次早出来，脑壳肿破，神情凄惨，望望然出门径去，没有人敢同他问话。人家推测，难道他是在悔恨，十二老太爷死在富盛埠，他没有去找寻尸骨，有失孝道，还是在受鬼神谴责呢，谁也不能知道。总之他是那么的自责，磕头打嘴巴，时发时愈，后来大家见惯，也就不大奇怪了。

他开馆授徒的地方是在惜字禅院，即穆神庙的北邻，可以说是在塔子桥南堍路西。在那里教了几年，现今无从计算，但末了一年是光绪乙未（一八九五）年，那是很的确的。因为致房一派有一个值年，是佩兰公的祭祀，那年冬天轮到立房承值，所以年月有可查考。照例冬天先收祭田租，从除夕设供办起，至十月拜坟送寒衣止，除开销外稍有利润。可是子京等不到收租，于春间早以廉价将租谷押给别人，拿这钱来要办两件大事，即是养儿防老，积谷防饥。媒婆给他说亲，同人家串通了，借一个女人给看一面，骗了钱去，这个他固然无从知道，租谷是自己押掉的，却拿这钱来在庙里修造仓间，那更是冤枉透了。进行了这样一个计划之后，在三伏中间他忽然大举的发狂，结束了以前一切的葛藤。他先来一套自责自打，随后拿剪刀戳破喉管，在胸前刺上五六个小孔，用纸浸煤油点火，伏在上边烧了一会，再从桥边投入水里，高叫曰"老牛落水哉"。当初街坊都不敢近去，落水后才把他捞起，送回蓝门里去，过了一日才死，《白光》里说落水而死，只是简括的说法罢了。租谷虽已无着，祭祀总不可缺，丙申年的值祭由伯宜公答应承当，但是值年还未完了，他却先自去世了。

二一 兴房的住屋

与蓝门隔着一个明堂，南边的一排楼房，是第三进房屋，与东边的堂屋是并排接连着的。“大堂前”左右各一大间带后房，又西边一间，都属于诚房所有，再往西一共五间带楼，西端的一楼一底，由立房典给外姓，居中“小堂前”，后为过廊不计外，其楼上四间，楼下三间前后房，悉归兴房使用，大概其中或有典租立房的也不可知，不过以前的事现今也没有人记得了。南窗外照例有很深的廊，所以南向的房反而阴暗，有后房的感觉，白天大抵都在朝北的屋里，这是北方的人听了觉得有点希奇的。廊外是狭长的明堂，南面一堵高墙，墙外这西南一角也属于宅内，可是别一区域，后面再说。明堂中左右种着两株桂花，直径几及一尺，因此那地方就叫作桂花明堂。廊下东头偏南有门，是内外通路，门用黄色油漆，名为“黄门”，门外过廊，南北通诚房住屋，东通堂前廊下，那里的门名为“白板门”，因为是用白木做的。

以上很简率的大概已把这一部分的房屋说明，因为这是鲁迅以上三代所居住的地方，多少要分别得清楚一点，再来加上一种符号，便是以小堂前为中心，两边的屋称为东一东二，西一西二，各分前后房，堂后过廊依俗名叫作退堂，前廊则称为廊下。这些房子住过好几代，很有些变迁，这里也得说明一下。简单的说可以分为三个段落，第一是光绪癸巳以前，曾祖母尚在时的状况，第二是癸巳至甲辰，曾祖母去世，祖父回家以后的状况，第三是乙巳至辛亥，以至民同八年北迁为止，讲蓝门的时候已略说及。现在我们所要谈的大抵是戊戌以前的事，所以这里涉及第一二两段落，下文也当分作两截来讲了。

二二　吃饭间

说到癸巳以前，那时我还不到十岁，记性本来不好，现今记得清楚的恐怕实在很少了。但是有几间房屋的情形却还记得个大略。小堂前的东边，就是上文所说的东一，南向的前房是曾祖母的住屋，后房作为吃饭及一切杂用的地方，东二前后房归祖母使用，姑母住在楼上，就是东二上面的一间。伯宜公住在西一，至于西二由立房典给人家，系三个女人品住，都是做“送妈妈”的，《越谚》注云“随新嫁娘往男家之人”，不晓得别处有没有这种职业，叫作什么名字。

我所清楚记得的便是那吃饭的房间，因为那里改变得顶少，就是在癸巳以后至于庚子以前，也多少还是那个样子。那里前后房的隔断很是特别，中间四扇上半花格子的门，左右都是大的实木门，东边开着，西边的外面摆着一只放食器的板厨，往东去是一把太史椅，上面放着上下两层的大食篮，一把小孩坐的高椅子，又是太史椅，已在开着的房门口，那是曾祖母的坐位了。高椅子前面一顶方桌，即是饭桌，有一处火烧焦了留下一个长条的洼，周围放着些高的圆凳。东面靠墙孤立着一顶茶几，草囤里一把锡壶，满装着开水。

朝北是四扇推窗，下半实木，上半格子糊纸，不论冬夏都把左右端的两扇推开，放进亮光来。窗下西端石墩上放水桶，中有椰瓢，是洗脸用的，接连着是长方小桌，上放圆竹筐，中置碗筷，又三抽斗桌，桌上有茶缸，茶叶泡浓汁，任人随意加开水冲饮，桌旁有一大方凳，约二尺见方，再过去便是往祖母后房去的房门了。

二三　曾祖母

苓年公行九，曾祖母通称九太太，以严正称，但那时已经很老，也看不出怎么。她于壬辰除夕去世，只差一天就是八十岁了。现今所记得的只是一二琐事，特别是有关于我们自己的。平常她总是端正的坐在房门口那把石硬的太史椅上，那或者是花梨紫檀做的也说不定，但石硬总不成问题，加上一个棉垫子也毫无用处，可是她一直坐着，通年如此。有时鲁迅便去和她开玩笑，假装跌跟斗倒在地上，老太太看见了便说："阿呀，阿宝，衣裳弄脏了呀。"赶紧爬了起来，过了一会又假装跌了，要等她再说那两句话，从这个记忆说来，觉得她是一点都没有什么可怕的。

老太太年纪大了，独自睡在一间房里，觉得不大放心，就叫宝姑去陪她睡。宝姑那时大概有十七八岁，在上海说就是大姐，但是乡下的名称很奇怪，叫作"白吃饭"，有地方叫"白摸吃饭"，如《越谚》

所记，大约从前是没有工钱的吧。但后来也有了，虽然比大人要少些。老太太床朝南，宝姑睡在朝西的床上，总是早睡了，等到老太太上床睡好了，才叫宝姑吹灯。因为老太太耳朵重听，宝姑随即答应，探头帐子外边，举起缚在帐竿上的芭蕉扇来，像火焰山的铁扇公主似的，对着香油灯尽扇，老太太还是在叫："宝姑，宝姑，吹灯。"直到扇灭为止。老太太晚年的故事，家里人一般都记得的，大概就只是这一件吧。

介孚公在京里做京官，虽然还不要用家里的钱，但也没有一个钱寄回来，这也使得老太太很不高兴。有时候有什么同乡回来，托他们带回东西，总算是孝敬老太太的，其实老太太慢说不要吃，其实也吃不动。有一回带来的东西不知道为什么装在一只袋皮就是麻袋内，打开看时是两只火腿，好些包蘑菇蜜饯之类，杏脯蜜枣等不晓得是不是信远斋的，但在小孩总是意外的欢喜，恨不得立刻就分，老太太却正眼也不看一眼，只说道："这些东西要他什么！"后来她的女婿请画师叶雨香给她画喜容，眉目间略带着一种威，过年时挂像看见，便不禁想起多少年前那时的情景来了。

二四　房间的摆饰

靠东边的屋就是所谓东二，在癸巳以前是祖母蒋老太太住的，我从小跟了她睡，大概在那里也住过六年以上，可是那房间里的情形一点都记不得了。曾祖母去世后，祖母搬移到东一，那里边摆饰完全照旧不动，这以后的事我就都记得，大致是如此。祖母的床靠西北角，迤南是马桶箱，八仙桌左右安放大安乐椅，都是什么紫檀之类的，壁上子母阁，放着好几个皮制和板制的帽盒。东北角房门内是一只米缸，高大的衣厨，再下去是一张中床，即宝姑睡处，后来归我使用，不过那已在戊戌之后了。东南角有小门，通往东二，南窗下并列着两个很大的被柜，上边靠窗排列着忌辰祭祀时所用的香炉烛台，以及别的什物，柜的西头是一个油墩甏，中盛菜油，够一年点灯之用，这里西南角开门出去，即是小堂前了。这样器具的排列，在那时代恐怕是一般如此，没有什么特性，这里只有屋角的米缸油甏，表示出是主妇的房间，与别处略有不同而已。

鲁迅的母亲鲁老太太与伯宜公住在西一，癸巳以后移居东二，至乙巳又移居第四进新修的屋里。那西一前房的情形也不清楚了，虽然大床坐北朝南，原是一定的摆法，靠着东壁放有画桌和四仙桌，上下两把藤心椅子，都是照例的东西。后房向东开门，共是四扇，中间两扇略窄，倒还整齐，左右各一较宽的门扇却并不一样，也是太平天国后随便配来应用的。北窗斜对往厨房及后园去的通路，冬天“弄堂风”大得很，因此在那里特别做有一副风窗，底下是一块横长的格子窗，五分之三糊纸，其二嵌有玻璃，上面格子窗三块，可以自由装卸。窗下有四仙桌，它的特色是抽斗拉手的铜环上结着长短不一的钱串绳，那种用什么草叶搓成，精致可喜的绳索现在早已不大有人知道了。靠窗东边有一张黄色漆柱的单人床，这床后来装在东二前房的西北隅，伯宜公在病革的前一天为止一直是睡在那里的。

二五　诚房的房客

写到这里，笔又要岔开去，关于诚房的事，先来说几句。诚房的先人是十四老爷，与兴房的苓年公是亲兄弟，他生有两个儿子，长号子林，次号子传。子林的妻早死，他在河南作客，就死在那里，儿子凤桐，养在外婆家，后来回到周宅，有些轶事，收在《阿Q正传》里，下文再说。子传通称二老爷，其妻二太太即是《朝华夕拾》中的衍太太，儿子凤岐字鸣山，小名曰方，比鲁迅才大五岁，虽是叔侄，却也是小朋友。诚房的房屋在大堂前左右，东边一大间前后房自己居住，其馀都出租给人家，就癸巳以前情形来说，大堂前以西两大间，即是与兴房楼屋连接的，以及白板门内过廊迤南的一部分，租给李家居住，在那里是一方块，东北方面各有房屋两间，作曲尺形，前面一个明堂，通称兰花间，大概是先代收藏兰花之处，朝南两间特别有地板，或者是其证据。李家主人是个高大汉子，诨名“李臭大”，是李越缦的堂兄弟，光绪庚寅（一八九〇）年越缦考取御史，有报单送来贴在大厅墙上。在他家里又寄居着一家沈姓，不知是什么亲戚关系，其中一个是“沈四太太”，口说北方话，年纪约有五六十吧，关于她的事，在《朝华夕拾》第八篇《琐记》中有一节云：

> 冬天水缸里结了薄冰的时候，我们大清早起一看见，便吃冰。有一回给沈四太太看到了，大声说道：“莫吃呀，要肚子疼的呢！”这声音又给我母亲听到了，跑出来我们都挨了一顿骂，并且有大半天不准玩。我们推论祸首，认定是沈四太太，于是提起她就不用尊称了，给她另外起了一个绰号，叫作“肚子疼”。

那有薄冰的水缸就在堂前西屋的后窗外，所以给沈四太太看见了，叫她绰号的原因自然一半是怪她多话，一半也因为她的北方话，这在乡下人听来正是“拗声”，都是有点可笑的，沈家还有一个女人，大概是寡妇吧，生活似乎颇清苦，带着三个小孩，男孩名叫八斤，女孩是兰英与月英，年纪大抵六七岁吧，夏天常常光身席地而坐。

二六　漫画与画谱

上文已经将沈八斤的名字提出，现在要继续讲那关于小床的记忆了。八斤那时不知道是几岁，总之比鲁迅要大三四岁吧，衣服既不整齐，夏天时常赤身露体，手里拿着自己做的竹枪，跳进跳出的乱戳，口里不断的说："戳伊杀，戳伊杀！"这虽然不一定是直接的威吓，但是这种示威在小孩子是很忍受不住的，因为家教禁止与别家小孩打架，气无可出，便来画画，表示反抗之意。鲁迅从小就喜欢看花书，也爱画几笔，虽然没有后来画活无常的那么好，却也相当的可以画得了。那时东昌坊口通称"胡子"的杂货店中有一种荆川纸，比毛边薄而白，大约八寸宽四寸高，对折订成小册，正适于抄写或是绘画。在这样的册子上面，鲁迅便画了不少的漫画，在窗下四仙桌上画了，随后便塞在小床的垫被底下，因为小孩们并没有他专用的抽屉。有一天，不晓得怎么的被伯宜公找到了，翻开看时，好些画中有一幅画着一个人倒在地上，胸口刺着一枝箭，上有题字曰“射死八斤”，他叫了鲁迅去问，可是并不严厉，还有点笑嘻嘻的，他大概很了解儿童反抗的心理，所以并不责罚，结果只是把这页撕去了。此外还有些怪画，只是没有题字，所以他也不曾问。

还有一回是正月里，小孩们得到了一点压岁钱，想要买点什么玩意儿，其实每人所得至多不过二三百文大钱，也并没有东西可以买得。这一回除别的零碎东西外还品买了一册《海仙画谱》，后来知道是日本刻本，内容是海仙十八描法，画了些罗汉，衣纹各别，有什么枣核描、鼠尾描、钉头描等名称，倒也颇有意思。《朝华夕拾》中讲“二十四孝”的地方，说有一本是日本小田海仙所画，也就是这个人，他的画大概是稍为有点特别的。小孩买书当时不知道为什么缘故还是秘密的，这册十八描法藏在楼梯底下，因了偶然的机会为伯宜公所发见，我们怕他或者要骂，因为照老规矩“花书”也不是正经书，但是他翻看了一回，似乎也颇有兴趣，不则一声的还了我们了。他的了解的态度，于后来小孩们的买书看的事是大大的有关系的。

二七　烟与酒

为什么关于小床特别有些记忆的呢？这理由一半是因为伯宜公久病，总躺在这床上，一半是常看见他在那里吃鸦片烟。他的吃烟与所谓衍太太家里也是有关的。他在少年时代进了秀才，在家里没有什么事，本家中子传房分最近（子京也一样的近，可是那么样的古怪），人很和气，太太又极能干，便常去谈天。子传夫妇都吃鸦片烟，“抽一筒试试吧”，劝诱的结果乃上了瘾，可是他一直自己不会煮烟，须得请他们代办，其被揩油也正是不得免的了。鲁迅对于衍太太个人固然多有反感，如《琐记》中所说鼓励阿祥转旋子以至磕破头，即是实例，但上边这事也是一个很大的原因。阿祥本名凤琯，字仲阳，小名曰服，比鸣山小一岁，是《阿长与山海经》一篇中所说远房的叔祖玉田的儿子。

伯宜公的晚酌，坐在床前四仙桌的旁边，这记忆比他的吃烟还要明了。他的酒量，据小时候的印象来说似乎很大，但计算起来，他喝黄酒恐怕不过一斤吧，夏天喝白酒时用的磁壶也装不下四两，大概他只是爱喝而已。除了过年以外，我们不记得同他吃过饭，他总是单吃，因为要先喝酒，所以吃饭的时间不能和别人的一致。平常吃酒起头的时候总是兴致很好，有时给小孩们讲故事，又把他下酒的水果分给一点吃，但是酒喝得多了，脸色渐变青白，话也少下去了，小孩便渐渐走散，因为他醉了就不大高兴。他所讲的故事以《聊斋》为多，好听的过后就忘了，只有一则《野狗猪》却一直记得，这与后来自己从《夜谈随录》看来的戴髑髅的女鬼，至今想起来还觉得可怕。因此我觉得在文学艺术上，恐怖的分子最为不好，于人有害。大抵神鬼妖怪还不怎么样，因为属于迷信的，随后与事实相比较，便不相信了，正与猫狗说话一样，不留下什么影子。可怕的还是实物，如故事中所说从顶棚上落下的半爿身体、首级、枯骨之类。甲午秋天小姑母死于难产，金家在长庆寺做水陆道场，鲁迅回来同伯宜公说佛有许多手，还有拿着骷髅的，我当初不懂这个字义，问清楚了之后乃大感恐怖，第二天到寺里不敢再去看大佛了。

二八　两个明堂

这一进屋的前后各有一个明堂，北面的本有六间房那么长，可是因为第四进的东头三楼四底归仁房所有，在那里打上一堵曲尺形的高墙，划去三分之二，只剩三分之一宽的天井给这边，至于西头一部分还是整个的明堂，与东南的一溜天井相接连。伯宜公的住房最初是正对这大明堂的中间，夏天在明堂中叫木匠来搭起两间凉棚，租用他们的杉木，连搭卸工钱大概总共一千文吧，用自己的晒谷竹簟两张，可以随意卷舒，遮住了烈日。在这凉棚底下，小孩可以玩耍，特别在傍晚时候，将簟卷起，石板上泼了井水，拿出板桌板凳来放好，预备吃晚饭，饭后又可以乘风凉，猜谜说故事。癸巳春间，祖父介孚公丁忧回家，伯宜公移居东二，让出那房子给他和潘姨太太与小儿子伯升居住，伯升名凤升，字仲升，因为说与北方话“众生”音相同，所以把仲字改为伯字了。东一二的北窗外是狭天井，漏下日光来显得更强热，所以设法做了一种遮阳，是一块长方形梅花眼的竹簟，上绷绿纱布，放在横木上，不用时拉进房檐下，这与天井的宽度好在差不多少。那檐下没有砌好石阶，只放着几条粗的石材，上面有几个小酒坛，用盐卤泡着圆肥皂即是皂荚子，当作洗衣肥皂的代用品。

南面的明堂有五间房那么长，因为东头的一间与白板门的过廊相接，所以不包括在内。这里有一个特色，左右种着两株桂花，直径有好几寸粗，因此便叫作桂花明堂，不过那花是黄的，称为金桂，不能和在茶或糖里，不为人所看重。靠着南墙有一人那么高的石条凳，三条相连，是搁花盆用的，两边石池各一，系用大石板在地上砌成。北边与廊下相连的半墙内面刷石灰，外面即明堂那一面的却用淡青灰刷过，再以粉笔画作长方格，充作磨光的大砖所砌。在那横长的格子内，有些鲁迅用铁钉划出的图像，其中有一个尖嘴鸡爪的雷公更是显明，这大抵是庚寅辛卯时所画，但直至卖给朱文公的子孙的时候，这画还是在那里。

二九　两个明堂二

桂花明堂全部铺着石板，只有桂花树下用小石条砌出一个六角形，那里是泥土，夏天发现许多圆孔，是蝉从地下钻出来所留下的痕迹。可是那里虽然到处都只是砖石，却也生出了不少的花草来。最特别的是桂花树干上所生的牌草，其次是凤尾草与天荷叶，那也是只要一点土就可以生长的，石池南面与墙相靠的地方，有两寸宽的一长条充满泥土，生着这些草以及蝴蝶花之类，还有一丛天竹，则是伯宜公所手植的。石条凳上只是中间搁着一盆万年青，是人家照例种了避火烛的，旁边生长出盐酸草来，叶小孩爱吃，结的种子像是豆荚，也是很好玩的东西。

后明堂里没有泥地可以种花木，只在东头于石墩上叠着三块厚石板，上边摆着些花盆，大小有七八个吧。其中一盆是伯宜公手植的纹竹，俗称盆竹，有纪念性质，此外都是些普通的，如郁李、石竹、映山红和牛郎花，老弗大即平地木，都是在上坟时候从山上拔来的野草，却是在人家很难种得好。平地木结红子如天竹，在山里有三棵的已不易得，种起来可以有四五棵。小松树与刺柏也种，很不肯长大，有一盆后来放到外边桂花明堂里去了。这院子里虽然比较寂寞，但也有一种补偿，西邻便是梁家的竹园，墙外矗立着百十竿淡竹，终日萧萧骚骚的作响，鸟雀也特别多，又有一株棕榈树，像蓬头鬼似的向着这边望，借给好些的绿色。伯宜公隔窗望见，时常感慨的说，能够在竹林中有一间小楼居住，最是快乐，他这话里多少含有黄冈竹楼及临皋亭的影响，但大半出于直接的感觉也是无可疑的。

三〇　廊下与堂前

那五间一排房屋的中央是小堂前，南面照例有廊，称曰廊下，有六尺以上宽吧，与明堂交界是一堵半墙，上半应有花窗糊纸，但这里没有，连外面厅堂也都如此，原因是在太平天国时被毁了，一直没有修配。这样也是好的，不但是看惯了不觉得怎么不好，而且以房屋构造来说，廊深窗小，里面已尽够阴暗了，廊下再有一道窗户，将更是沉闷，所以没有倒反是很好了。房内铺地都用名叫地平的大方砖，廊下则同走路和明堂一样，用的是大石板，不知什么缘故在好些石头上多有一种暗色的痕迹，到了阴雨泛潮时候，尤其明显。相传这是杀过人流血的遗迹。这自然不是事实，从南京明故宫的血迹石说起，大家知道是虚假的，而且各块石板的痕迹不相连接，更是明征，所以虽有此说，就是最迷信多忌讳的阿长也并不介意，黑夜里点个油纸撚，还是敢在廊下行走的。

堂前平时只当作通路走，其用处乃是在于祭祀的时候。顶重要的当然是除夕至新年，悬挂祖像至十八天之多，其次是先人的忌日，中元及冬夏至，春秋分则在祠堂设祭。堂中原有八仙桌一二张分置两旁，至时放到中间来，须看好桌板的木纹，有“横神直祖”的规定，依了人数安置坐位和碗筷酒饭，菜用十碗，名十碗头，有五荤五素至八荤二素不等，仪式是年长者上香，男女以次跪拜，焚化银锭，男子再拜，先为四跪四拜，次则一跪四拜，俟纸钱焚讫乃奠酒，一揖灭烛，再一揖而礼成。中元冬夏至于祭祖后别祭地主，即是过去住过这屋的鬼魂，由小孩及用人们行礼，多在廊下举行，有时也在后园门内设祭，在别家有否不曾调查。

三一　伯宜公

伯宜公本名凤仪，改名文郁，考进会稽县学生员，后又改名仪炳，应过几次乡试，未中式。他看去似乎很是严正，实际却并不厉害，他没有打过小孩，虽然被母亲用一种叫做呼筱（音笑）的竹枝豁上几下的事情总是有过的。因为他寡言笑，小孩少去亲近，除吃酒时讲故事外，后来记得的事不很多。有一次大概是光绪辛卯（一八九一）年吧，他从杭州乡试回家，我们早起去把他带回来的一木箱玩具打开来看，里边有一件东西很奇怪，用赤金纸做的腰圆厚纸片，顶有红线，两面各写“金千两”字样，事隔多年之后才感到那箱玩具是日本制品，但是别的有些什么东西却全不记得了。此外有几张紫砂小盘，上有鲤鱼跳龙门的花纹，乃是闱中给月饼吃时的碟子，拿来正好作家事游戏，俗语云办人家。又一回记得他在大厅明堂里同两三个本家站着，面有忧色的在谈国事，那大概是甲午秋冬之交，左宝贵战死之后吧。他又说过，现在有四个儿子，将来可以派一个往西洋去，一个往东洋去做学问，这话由鲁老太太传说下来，当然是可靠的，那时读书人只知道重科名，变法的空气还一点没有，他的这种意见总是很难得的了。他说这话大抵也在甲午乙未这时候吧，因为他的四子生于癸巳六月，而他自己则是丙申九月去世的，距生于咸丰庚申，年三十七岁，乡下以三十六岁为本寿，意思是说一个人起码的寿命，犹如开店的本钱，他的生日在十二月，所以严格的说，整三十六年还差三个月。

三二　介孚公

介孚公本名致福，改名福清，光绪辛未由翰林院庶吉士散馆，授编修，后来改放外官，这里还是散馆就外放，弄不大清楚，须得查家谱，但据平步青说，他考了就预备卷铺盖，说反正至少是个知县。最初选的是四川荣昌县，他嫌远不去，改选江西金溪县。翰林外放知县在前清叫作老虎班，是顶靠硬的，得缺容易，上司也比较优容，可是因此也容易闹出意见来，介孚公当然免不了这一例。那时上司大概不是科甲出身，为他所看不起，所以不久就同抚台闹了别扭，不知道做了多少年月，终于被参劾，被改为教官。他不情愿坐冷板凳去看守孔庙，便往北京考取内阁中书，一直在做京官，到了癸巳年丁忧，才告假回家去。

他在北京的情形现在已不能知道，偶然在王继香日记中庚寅这一册里看见有些记事，可作资料。如七月十一日项下云：

周介孚柬招十三饮。

十三日下午云：

飞鞚出海岱门，循城根至前门，令经南大街至骡马市，马疲泥涩，仆坐不动，怒叱之。久之始至广和居，则周介夫（原文如此）果已与客先饮，同席者汪笙叔、鲍敦夫、戚升淮、陶秀充，略饮即饭，不烟而回。强敦夫同车，托词而止，及余车回，敦夫方步入门，盖敦以介夫境窘，故不坐车，而诘之则仍以他词饰，可谓诈矣。

介孚公在北京于同乡中与吴介唐、鲍敦夫似还要好，王子献便不大谈得来，看日记中口气可知，但如介孚公的日记尚在，那么在那里面对于这些人他也一定是说的很不客气的吧。

三三　介孚公二

癸巳年春天介孚公携眷回家，住在西一的屋内，同来的是少子凤升，生母章已早死，年十二岁，妾潘，是和小姑母同年的，可以推定是二十六岁，介孚公是五十八岁。曾祖母于壬辰除夕去世，那时已有电报和轮船，所以不到一个月就赶到了家，这有一件确实的证据，因为曾祖母五七那一日，他大发脾气，经验着的人不会忘记，虽然现在知道的也只有我一个人了。

那年乡试，浙江的主考是殷如璋和周锡恩，仿佛又记得副主考是郁昆，但郁是萧山人，所以是不确的。大概是六七月中，介孚公跑往苏州去拜访他们，因为都是什么同年，却为几个亲戚朋友去通关节，随即将出钱人所开一万两银子的期票封在信里，交跟班送到主考的船上去。那跟班是一个乡下人名叫徐福，因为学会打千请安，口说大人小的，以当“二爷”为职业，被雇带到苏州去办事，据说那时副主考正在主考船上谈天，主人收到了信不即拆看，先搁下了，打发送信的回去，那二爷嚷了起来，说里边有钱，怎么不给收条？这事便发觉了，送到江苏巡抚那里，交苏州府办理，介孚公知道不能躲藏，不久就去自首，移到杭州，住在司狱司里，一直监候了有七年，至辛丑一月，由刑部尚书薛允升附片奏请，依照庚子年刑部在狱人犯悉予宽免的例，准许释放，乃于是年二月回家，住在原来的地方。

那时候凤升改名文治，已于丁酉年往南京，进了江南水师学堂，所以介孚公身边只剩了潘姨太太一人。她这人并没有什么不好，只是地位不好，造成了许多人己两不利的事情。介孚公回家之后，还是一贯的作风，对于家人咬了指甲恶骂诅咒，鲁迅于戊戌离家，我也于辛丑秋天往南京，留在家里的几个人在这四年中间真是够受的了。介孚公于甲辰年夏天去世，年六十八岁。

介孚公平常所称引的只有曾祖苓年公一个人，此外上自昏太后、呆皇帝（西太后、光绪），下至本家子侄辈的五十、四七，无不痛骂，那老同年薛允升也被批评为胡涂人，其所不骂的就只潘姨太太和小儿子，说他本来笨可原谅，如鲁迅在学堂考试第二，便被斥为不用功，所以考不到第一，伯升考了倒数第二，却说尚知努力，没有做了背榜，这虽说是例，乃是实在的事。

三四　王府庄

鲁迅自己说过，小时候有一个时期寄食于亲戚家，被人说作乞食。这便是癸巳秋后至甲午夏天的事情，亲戚家即是鲁老太太的母家，那时外祖父早已去世，只是外婆和两房舅舅而已。外祖父晴轩公，名希曾，是前清举人，在户部做过主事，不久告假回家，不再出去，他于甲申年去世，到那时正是十年了。偶然翻阅范啸风的《癸俄尺牍》稿本，中间夹着一张纸，上写答周介孚并贺其子入泮，下署鲁希曾名，乃是范君笔迹，代拟的一篇四六信稿，看来实在并不高明。可惜上边没有年月，依照别的尺牍看来，可能是光绪五六年（己卯庚辰）的事。信中有云：

弟自违粉署，遂隐稽山，蜗居不啻三迁，蠖屈已将廿载，所幸男婚女嫁，愿了向平，侄侍孙嬉，情娱垂晚。

又云：

弟有三娇，从此无白衣之客，君惟一爱，居然继黄卷之儿。

这里自述倒还实在，他有两个儿子，长字怡堂，次字寄湘，都是秀才，还有一个小孩们叫作“二舅舅”的，即是所说的侄儿，其名号却是忘记了。孙是怡堂的儿子，名佩绅，二舅舅的儿子名为佩紫，都比鲁迅要大三四岁。晴轩公的三个女儿，长适啸唫乡阮家，次适广宁桥郦家，三适东昌坊口周家，阮士升与郦拜卿都是秀才，这次伯宜公也进了学，所以信里那么的说，显出读书人看重科名的口气，在现今看来觉得很有点可笑了。

鲁家的旧宅是在靠近海边，去镇塘殿不远的安桥头，规模狭小，连旧时那么重视的“文魁”匾额都没有地方挂，因此暂时移居在外边，写这信时是住在王府庄，与范啸风恰好是邻居。那地方口头叫作王浦庄，到底不知道那三个字是怎么写法，范啸风在《皇甫庄陈山庙社供田记》中说：

予乡皇甫庄在会稽县东三十里，或曰宋时为赵王府第，因以成庄，或曰是村权舆姓皇甫者居之，故曰皇甫庄。

在那村里范沈二姓居多，寄湘的外家姓沈，大抵因为这个关系，所以一时住在那里，鲁迅寄食的时候正是鲁宅在王府庄的最后的一年。

三五 《荡寇志》的绣像

鲁迅在大舅父处寄食，前半是在王府庄，后半则跟了鲁宅迁移，又到小皋埠去了。大舅父的住房只记得有楼房两间，他住在西边的前房里，平常不大出眠床来，因为他是抽鸦片烟的，午前起得很迟，短衣裤坐在床上，吃点心吃饭就在一张矮桌上面，没有什么特别事情是不穿鞋下来的。他有一子一女，夫人是后母，无所出，是很寂寞的脸相，他们大概住在东边前房吧，那间房和楼下的情形几乎全不记得，只是后房里，因为看他们影写绣像，所以还没有完全忘记。鲁迅所画的完全的绣像有一套《荡寇志》，从张叔夜起头，一直足足有好几十幅。画只有鲁迅来得，后半幅的题词则延孙（佩绅的号）居一日之长，字写得不错，也帮着来影写，只有佩紫有一天试写一篇，有一两笔很粗笨难看，中途停止，由鲁迅补写完成，这纪念就留在册上。以前只晓得用尺八纸和荆川纸，这时在乡下杂货铺里却又买到一种蜈蚣（读若明公）纸，比荆川稍黄厚而大，刚好来影写大本的绣像，现在想起来也就是一张八开的毛太纸罢了。这《荡寇志》画像就是用这种纸影写的，原价大概是一文钱一张吧，草订成一大册，后来带回家去，不久以二百文卖给了别人。关于这事，在《从百草园到三味书屋》中有这一节文章云：

> 最成片段的是《荡寇志》和《西游记》的绣像，都有一大本。后来为要钱用，卖给一个有钱的同窗了。他的父亲是开锡箔店的，听说现在自己已经做了店主，而且快要升到绅士的地位了。这东西早已没有了吧。

这位同窗名叫章翔耀，住在东昌坊口往西不远的秋官第地方，他的锡箔店在民国八年底还是开着，虽然以后情形不能知悉。《朝华夕拾》那文章虽是说三味书屋的事，《荡寇志》的图却确有年月可考，是在王府庄避难时所画的，但癸巳前后他都在三味书屋读书，所以那么地一总写在一起了。《西游记》图或者是在书房里所画，只是没有明白的记忆，因为关于那本绣像没有什么故事，也就容易见过忘记了。

三六　娱园

大概因为是王府庄的房屋典期已满，房东赎回去了的缘故吧，在癸巳年的年底鲁宅乃分别移居了，小舅父同了外祖母回到安桥头老家去，二舅父搬到鸡头山，大舅父则移往小皋埠，寄食的小孩们自然也跟了过去。那里也是一个台门，本是胡秦两家，大舅父的前妻出于秦氏，所以向秦家借了厅堂以西的一部分厢房来住。这胡秦合住的关系不大清楚，或者是胡家典得东部的一半也未可知，因为秦家后面有花园，不像是借用人家的房屋的。秦家主人本名树铦，字秋伊或秋渔，别号勉钽，记不清是举人还是进士了，他以诗画著名，虽然刊行的只有四卷《娱园诗存》，四分之三是别人的诗文，为娱园而作，而照着古文的通例，这介绍花园也说的并不周全。那时诗人早已死了，继承的是他的儿子少渔，即大舅父的内弟，小孩们叫他作“友舅舅”，倒很是说得来，大概因此之故鲁迅也就不再影画绣像了，时常跑去找他谈天。秦少渔也是抽鸦片烟的，但是他并不通日在床上，下午也还照常行动，那时便找他画花，他算是传了家法，喜画墨梅，虽然他的工夫能及得秋渔的几分，那自然不能知道。他又喜欢看小说，买的很多，不是木板大本，大都是石印铅印的，看过都扔在一间小套房里，任凭鲁迅自由取阅，只是乱扔一堆，找寻比较费事，譬如六本八本一部，往往差了一本，要花好些时光才能找全，这于鲁迅有不少的益处，从前在家里所能见到的只是《三国》《西游》《封神》《镜花缘》之类，种种《红楼梦》，种种侠义，以及别的东西，都是无从见到的。此外游花园也是一种乐事，虽然那种蛐蛐笼式的构造并不怎么好玩，或者还不及百草园的有意思，但比在王府庄的时候总是活动得多了。被人家当乞食看待，或是前期的事，在这后期中多少要好一点，但是关于这事我全无所知，所以也不能确说。在小皋埠大约住了半年，于甲午年春夏之间，被叫回家去，鲁迅仍进三味书屋去读书，我于乙未年正月才去，从《中庸》上半本念起，所以在娱园的小说的益处一点都未能得到。

三七　鲁家

现在来把鲁家的事情简单的结束一下。怡堂的儿子延孙娶了东关金家的姑娘，她是鲁迅的小姑母的堂房小姑，由她做媒折了辈分嫁过去的，在怡堂去世不久之后延孙病故，他的夫人在民国以前也已亡故，没有子女。怡堂那位女儿早已出嫁，记得是南门李家，“李大少爷”是有名的外科医生，我就很请教过他，新郎是他的儿子叫李孝谐，又是鲁迅的三味书屋的同窗。寄湘生有四女一子，长女嫁在谁家未详，次女适沈，即是她母亲的内侄，三女适陈，四女未出阁前病殁。儿子名佩纹，在师范学校肄业，很是好学，稍有肺病，强令早婚，又医疗迟误，遂以不起。寄湘已衰老，亲属力劝纳妾，其次女为物色得一收房婢女生过小孩而遣出者，以为宜男，购得之后托鲁老太太代存，其时寄湘入京依其内亲沈吕生，希望得一职业，久之无所得，乃复回家，令遣妾不纳，未几，亦去世，承继鸡头山的佩紫之子为佩纹后，这大概是民国六七年间的事。

安桥头的旧宅看来是中富农住屋的模样，中间出了读书中科第的人，改变了生活方式，但是不及一百年又复没落，其中虽有医药卫生的错误为其小原因，总之这大势是无可挽回的。现在鲁家的核心差不多复归于安桥头，经过土改以后，可能由正当状态再行出发，实行所谓卷土重来，庶几乎在地里扎得根下去，可以成为道地的安桥头人。偶记外婆家衰亡之迹，说到这里，其实对于他们的希望还在其次，我主要的意思乃是表示对于安桥头住屋的喜欢，觉得比台门屋要好得多，那岂不是乡下一家族的合理的住处么。

三八　三味书屋

癸巳上半年，鲁迅往三味书屋读书，他去那里是这年为始，还是从前一年就已去了呢，这已记不清楚了。自百草园至三味书屋真正才一箭之路，出门向东走去不过三百步吧，走过南北跨河的北桥，再往东一拐，一个朝北的黑油竹门，里边便是三味书屋了。书屋不在百草园之内，所以不必细写，只须一说那读书的两间房屋就行。我去读书是从乙未年起的，所记情状自然只能以那时为准，但可能前两年也是大概差不多的。书房朝西两间，南边的较小，西北角一个圆洞门相通，里面靠东一部分有地板，上有小匾曰“谈馀小憩”，小寿先生洙邻名鹏飞在此设帐，教授两个小学生，即是我和寿禄年，外边即靠北的一大间是老寿先生镜吾名怀鉴的书房，背后挂一张梅花鹿的画，上有匾曰“三味书屋”。老寿先生的大儿子涧邻名鹏更，在乡间坐馆，侄儿孝天同住一门内，则在迤北一间书房开馆授徒，后来往上海专编数学书，不再教读了。

老寿先生教的学生很多，有南门的李孝谐，秋官第许姓，又余姓身长头小绰号“小头鬼”的，都是大学生，桌子摆在西窗下一带，北墙下是鲁迅和勇房族叔仁寿，南墙下是中房族弟寿升，商人子弟的胡某和章翔耀，他的桌子已在往小园去的门口了。还有中房族兄寿颐，桌子不知道放在那里，可能是在北墙下靠东的地方吧。从北京跟了介孚公回家的凤升也于乙未年去上学，他于癸巳上半年同我在厅房里从仁房族叔伯文读书，中途停顿，这时才继续前去，书桌放在谈馀小憩的西北窗下，但书还是由老寿先生教读的。

三九　老寿先生

老寿先生是本城中极方正，质朴博学的人，可是并不严厉，他的书房可以说是在同类私塾中顶开通明朗的一个。他不打人，不骂人，学生们都到小园里去玩的时候，他只大声叫道：“人都到那里去了？”到得大家陆续溜回来，放开喉咙读书，先生自己也朗诵他心爱的赋，说什么“金叵罗，颠倒淋漓伊，千杯未醉荷……”，这情形在《朝华夕拾》上描写得极好，替镜吾先生留下一个简笔的肖像。先生也替大学生改文章即是八股，可是没有听见他自己念过，桌上也不见《八铭塾钞》一类的东西，这是特别可以注意的事。先生律己严而待人宽，对学生不摆架子，所以觉得尊而可亲，如读赋时那么将头向后拗过去，拗过去，更着实有点幽默感。还有一回先生闭目养神，忽然举头大嚷道，“屋里一只鸟（都了切），屋里一只鸟！”大家都吃惊，以为先生着了魔，因为那里并没有什么鸟，经仔细检查，才知道有一匹死笨的蚊子定在先生的近视眼镜的玻璃外边哩。这蚊子不知是赶跑还是捉住了，总之先生大为学生所笑，他自己也不得不笑了。

《朝华夕拾》上说学生上学，对着那三味书屋和梅花鹿行礼，因为那里并没有至圣先师或什么牌位，共拜两遍，第一次算是拜孔子，第二次是拜先生，那时先生便和蔼地在一旁答礼。行礼照例是“四跪四拜”，先生站在右边，学生跪下叩首时据说算在孔子账上，可以不管，等站起作揖，先生也回揖，凡四揖礼毕。元旦学生走去贺年，到第二天老寿先生便来回拜，穿着褪色的红青棉外套（前清的袍套），手里拿着一叠名片，在堂前大声说道：“寿家拜岁。”伯宜公生病，医生用些新奇的药引，有一回要用三年以上的陈仓米，没有地方去找，老寿先生不知道从哪里弄到了一两升，装在“钱搭”里，亲自肩着送来。他的日常行为便是如此，但在现今看去觉得古道可风，值得记载下来，还有些行事出自传闻，并非直接看见，今且从略。

四〇　广思堂

三味书屋里虽然备有戒尺，有罚跪的规则，却都不常用。罚跪我就没有看见过，在我上着学的这两年里，戒方则有时还用，譬如有人在园里拿了腊梅梗去撩树上的知了壳（蝉蜕），给他看见了，带到书房里，叫学生伸出手来，他拿戒方轻轻的扑五下，再换一只手来扑五下了事。他似乎是用蒲鞭示辱的意思，目的不在打痛，不像别的私塾先生打手心要把手背顶着桌角，好似捕快在拷打小偷的样子。仁房的伯文在乡下坐馆，用竹枝打学生的脊背，再给洒上擦牙齿的盐，立房的子京，把学生的耳朵放在门缝里夹，仿佛是小孩的轧核桃，这固然是极端的例，但如统计起来，说不定还是这一类为多，因为这里就有两位仁兄，三味书屋却只是一例。在百草园往东隔着两三家有广思堂王宅，是一个破落的大台门，大厅烧了就只剩一片空地，偏西的厢房里设着私塾，先生当然姓王，逸其名字，大家只叫他的绰号“矮癞胡”，他打手心便是那么打的，又有什么撒尿签，大概他本是模仿古人出恭入敬牌的办法的吧，但学生听了这传说大为愤慨，因为三味书屋完全自由，大小便径自往园里去，不必要告诉先生的。有一天中午放学，鲁迅和章翔耀及二三见义勇为的同学约好，冲进“矮癞胡”的书房去，师生都已散了，大家便攫取笔筒里撒尿签撅折，将朱墨砚覆在地上，笔墨乱撒一地，以示惩罚。“矮癞胡”未必改变作风，后事如何，却已忘记了。

三味书屋对于学生最严重的处分是退学，学生中间称为“推出去”。曾经有过一个实例，这人即是中房的寿升，号日如，是鲁迅的堂兄弟。老寿太太作客回来，先生帮着去从船里拿东西，寿升说道，先生给师母拎香篮哩。恰巧为先生所听见，决定把他推出去，虽然经寿升的叔父来道歉说情，终于没有成功。先生对于自己儿子也用同一方法，有一次大概鹏更的岁考成绩不好吧，先生叫他不必再读书了，将他的书册笔砚收起，捧着往里走，鹏更跟在后面说：“爹爹，我用功者，我用功者！”这事后来大约和解了结，但印象留着很深，鹏更虽然也是名秀才，大家看见他狼狈讨饶的情形以后，对于这位师兄的敬意就不免大为减少了。

四一　贺家武秀才

三味书屋的学生相当规矩，这于先生是很有名誉的，他们在书房里没有打过架，有的犯规，也只是如上文所说，往园里去撩树上的知了壳，若是偷偷的画花，或者用纸糊的盔甲套在指头上做戏，先生不会发见，更是没有关系了。但在外边还不免要去闹事，惩罚“矮癞胡”先生的事情已经说过，其次是惩罚贺家武秀才，这件事可能闹大，可是幸而居然能够避免。原因是有人报告，小学生走过绸缎弄的贺家门口，被武秀才所骂或是打了，这学生大概也不是三味书屋的，大家一听到武秀才，便不管三七二十一的觉得讨厌，他的欺侮人是一定不会错的，决定要打倒他才快意。这回计划当然更大而且周密了，约定某一天分作几批在绸缎弄集合，章翔耀仍然是首领之一，鲁迅还特地去从楼上把介孚公做知县时给金溪县民壮挂过的腰刀拿了出来，隐藏在大褂底下，走到贺家门口去。

这腰刀原是一片废铁，当然没有开口，但打起架来就是头上凿一下，也会开一个窟窿，不能不说是很有危险的事。但是这几批人好像是《水浒》的好汉似的，分散着在武秀才门前守候，却总不见他出来，可能他偶尔不在，可能他事先得到消息，怕同小孩们起冲突，但在这边认为他不敢出头，算是屈服了，由首领下令解散，各自回家。这一仗没有打成，参加的学生固然是运气，实在还是三味书屋之大幸，因为否则将使得老寿先生教书的牌子大受损伤，虽然这并非他管教不严之故，从别一方面来说，学生要打抱不平，还有点生气，正是书房的光荣，若是在广思堂受撒尿签的统治既久，一点没有反抗的精神，自然不会去闹事，却也变成了没有什么用处的人了。

四二　沈家山羊

从家里到塾中不过隔着十几家门面，其中有一家的主人头大身矮，家中又养着一只不经见的山羊（后来才知道这是养着厌禳火灾的），便觉得很有一种超自然的气味。同学里面有一个身子很长，虽然头也同平常人差不多少，但在全身比例上就似乎很小了。又有一个长辈，因为吸鸦片烟的缘故，耸着两肩，仿佛在大衫底下横着一根棒似的。这几个现实的人在那时看了都有点异样，于是拿来戏剧化了，在有两株桂花树的院子里扮演这日常的童话剧。大头不幸的被想像为凶恶的巨人，带领着山羊，占据了岩穴，扰害平人，小头和耸肩的两个朋友便各仗了法力去征服他，小头从石窝缝中伸进头去窥探他的动静，耸肩等他出来，只用肩一夹，就把他装在肩窝里捉了来了。这些思想尽管荒唐，而且很有唐突那几位本人的地方，但在那时觉得非常愉快，我们也扮演喜剧，如打败贺家武秀才之类，但总是太与现实接触，不能感到十分的喜悦，所以就经验上说，这大头剧要算第一有趣味了。

这是我在一九二三年所写关于儿童剧的一节话，正说及三味书屋的事，现在可以用在这里，只将那几位本人说明白了就好。小头即是上文说过的余姓大学生，当初大家对他印象很不好，有一次互相嘲弄，他在纸上画了一个脸，说这是某人，我们这边的人便去告诉先生，急得他吃吃辩说，“学生弗会画菩萨头”，样子非常狼狈，这之后忽然对他谅解，童话剧中拉他来做了同盟军了。养山羊的是沈家，即在王广思之东，主人沈老八与周家还有点老亲，但是样子生得奇怪，他家的山羊常在路旁吃刺苋，章翔耀等人要去骑它，往往为那看羊的独眼老婆子所骂，把大头派为凶人的原因一半即在于此。耸肩的是中房的芹侯，通称“廿八公公”，是祖父辈最小的一个，人很聪明，学过英文，会得照相修钟表。就只是鸦片瘾大，以致潦倒不堪，这里派他的脚色别无理由，单是因为他的肩头耸得特别的高而已。

四三　童话

在阿耳考忒夫人的小说《小女人》里有这几句话：

> 在仓间里的演剧，是最喜欢的一种娱乐。我们大规模的排演童话。我们的巨人从阁楼上连走带跌的下来，在甲克把缠在梯子上的南瓜藤当作那不朽的豆干砍断了的时候。灰丫头坐了一个大冬瓜驰驱而去，一支长的黑香肠经那看不见的手拿来长在浪费了那三个愿望的婆子的鼻头上。

西洋的小孩有现成的童话书，什么《杀巨人的甲克》《灰丫头》以及《三个愿望》等，拿来排演并不费事，我们没有这些，只是口耳相承的听到过“蛇郎”和“老虎外婆”等几个故事，不知怎的也没有兴趣演，可是演童话剧的趣味还是有的，结果是自己来构造，如那大头便是一例。说也奇怪，那平凡现实的几个人，拿来拼凑一下，做成一段妖怪故事，虽然不能说没有《西游》的影响，但整个儿还是童话的空气，在《西游》中也只是有稚气的一二段才可以比拟得上。在乙未年鲁迅是十五岁了，对于童话分子（虽然那时还没有这名目）还很是爱好，后来利用那些题材，写成《故事新编》，正不是无因的事吧。

前几年我写了些讲儿童生活的打油诗，其一首云：

> 幻想山居亦大奇，相从赤豹与文狸，
> 床头话久浑忘睡，一任檐前拙鸟飞。

注云：

> 空想神异境界，互相告语，每至忘寝。儿童迟睡，大人辄警告之曰，“拙鸟飞过了”，谓过此不睡，将转成拙笨也。

这里边也有本事，有一时期鲁迅早就寝而不即睡，招人共话，最普通的是说仙山。这时大抵看些《十洲》《洞冥》等书，有“赤蚁如象”的话，便想像居住山中，有天然楼阁，巨蚁供使令，名阿赤阿黑，能神变，又炼玉可以补骨肉，起死回生，似以神仙家为本，而废除道教的封建气，完全童话化为以利用厚生为主的理想乡，每晚继续的讲，颇极细微，可惜除上记几点之外全都已记不得了。伯宜公的病大概是起于乙未年，但当时还觉得不太严重，所以大家有此兴致，到了次年情形就很有些不同了。

四四　祖母

关于祖母的事，须要略为补说一下。前一个祖母姓孙，母家在偏门外跨湖桥，是快阁的左邻，她的生卒年月记在家谱，不及查考，只于咸丰戊午（一八五八）年生一女，庚申（一八六〇）年生伯宜公，大约不久去世了。后来的祖母姓蒋，母家在昌安门外鲁墟，恰巧也是放翁的故里，生于道光壬寅（一八四二）年，至宣统庚戌（一九一〇）年去世，寿六十九岁。她有一个女儿，是同治戊辰（一八六八）年生的，比鲁迅才大十二三岁，性情又和善，所以同小侄儿们特别要好，大家跟着她游戏说故事，到她出嫁那一天，小孩不让她走，有的要同她坐了轿子去。夫家在东关姓金，姑夫名雨辰，是个秀才，因为是独子，左耳上戴着小金环，显得有点女性似的，但他们夫妇感情很好，有一个女儿阿珠，是光绪辛卯（一八九一）年生的。但是姑妇之间总不免有些问题，癸巳年介孚公下狱后又听到传闻，亲家公有什么闲话，他便大怒，严命家中与金家绝交，这事固难实现，但使得关系更坏，至次年甲午八月小姑母以难产去世，这悲剧才算结束了。她病中谵语，说有红蝙蝠来迎接，鲁迅后来特为作文讨红蝙蝠，或是诘责神明，为何不使好人有寿，语多不逊。不过小姑母的死对于小孩们固是一个打击，在祖母这打击乃是更大而且彻底的了。她本是旧式妇女抱着黑暗的人生观的，做了后母没有自己的儿子，这一个女儿才是一线的光明，现在完全的灭了。她固然常于什么菩萨生日，点起一对三拜蜡烛三支线香，跪在大方凳上向天膜拜，却不念佛或上庙烧香去，有一回近地基督教女教士来传道，劝她顾将来救灵魂，她答道："我这一世还顾不周全，那有工夫去管来世呢。"她的后半生，或者如外国诗人所说的病狼大旨有点相像吧。

四五　祖母二

祖母蒋老太太于辛亥前一年去世，鲁迅正在杭州两级师范学堂做教员，所有丧葬的事都由他经理，我没有能够回来，凤升改名文治，在江南水师的什么兵轮上当二管轮（通称二伡）吧，大概是后来奔丧去的。那时的事情本来我不知道，在场的人差不多已死光了，可是碰巧在鲁迅的小说里记录有一点，在《彷徨》里所收的一篇《孤独者》中间。这里的主人公魏连殳不知道指的是什么人，但其中这一件事确是写他自己的。连殳的祖母病故，族长，近房，祖母的母家的亲丁，闲人，聚集了一屋子，筹划怎样对付这承重孙，因为逆料他关于一切丧葬仪式是一定要改变新花样的。聚议之后大概商定了三大条件，要他必行，一是穿白，二是跪拜，三是请和尚道士做法事。总而言之，是全部照旧。哪里晓得这“吃洋教的新党”听了他们的话，神色也不动，简单的回答道：“都可以的。”大殓之前，由连殳自己给死者穿衣服。

> 原来他是一个短小瘦削的人，长方脸，蓬松的头发和浓黑的须眉占了一脸的小半，只见两眼在黑气里发光。那穿衣也穿得真好，井井有条，仿佛是一个大殓专家，使旁观者不觉叹服。寒石山老例，当这些时候，无论如何，母家的亲丁是总要挑剔的，他却只默默地，遇见怎么挑剔便怎么改，神色也不动。

入殓的仪式颇为烦重，拜了又拜，女人们都哭着说着，连殳却始终没有落过一滴泪，只坐在草荐上，两眼在黑气里闪闪地发光。大殓完毕，大家都快快地，似乎想走散，但连殳还坐在草荐上沉思。

> 忽然，他流下泪来了，接着就失声，立刻又变成长嚎，像一匹受伤的狼，当深夜在旷野中嗥叫，惨伤夹杂着愤怒和悲哀。

这篇是当作小说发表的，但这一段也是事实，从前也听到鲁老太太说过，虽然没有像这样的叙述得有力量。所谓近房当然是指诚房的“衍太太”，祖母母家的亲丁是她的内侄，这位单名一个珍字，号叔田，小孩叫他玉叔叔。他最喜欢掗酒，伯宜公很爱喝酒而厌恶人强劝，常训诲儿子们说：“你们到鲁墟去，如玉叔叔掗酒，一口都不要喝，酒盅满了也让它流在桌子上面。”他们表兄弟的性情本来就是不相合的。

四六　关于穿衣服

祖母大殓之前，鲁迅自己给死者穿衣服。这穿衣服的事，实在很不容易，仿佛要一种专门本领，其实也只是精细与敏捷，不过常人不大能够具备或使用罢了。别处的情形不知道，乡下的办法是死者的小衫裤先穿好，随后把七件九件以至十一件的寿衣次第在一支横竹竿上套好，有的是由孝子代穿的，拿去从下向上的将两手放在袖子里，整理好领口，便可以一件件裹好，结上替代纽扣的带子，大事就告成了。在殡仪馆出现以前，大殓专家计有两种，其一是裁缝，其二是土工。但是用裁缝的须得是大绅商，他们要用丝绵包裹尸首，使得骨胳不散，有如做木乃伊之大费工本，不是一般人所能担当，土工则善于收拾破碎变作的尸体，又是别有一功的。所以平常人家总是由亲人动手，亲族加以帮助，在这中间会得穿衣服的人虽然不是凤毛麟角，总之也是很不易得的了。

话虽如此，有些事情确也是很难说的。台门里的子弟本来都是少爷，可是也有特别的人，会得这些特别的事，伯宜公就是其一人。在这上边可以同他相配的，是中房的一位族兄慰农，他们两人有一回曾为本家长辈（大概是慰农的叔伯辈吧）穿衣服，棋逢敌手，格外显得出色，好些年间口碑留在三台门里。他们别的事也都精能，常被邀请帮忙，但是穿衣服这种特殊的事，非自告奋勇，人家不好请求，只有甲午八月他赴金家妹子之丧，由他给穿衣服，这是一生中最后的一次了。他在那里也是母家的亲人，可是并不挑剔什么，只依照祖母的意见，请求建设了一个水陆道场。伯宜公平常衣着都整齐，早起折裤脚系带，不中意时反复重作，往往移晷，这是小事情，却与穿衣服的事是有连系的。鲁迅服装全不注意，但别有细密处，描画，抄书稿，折纸钉书，用纸包书，都非常人所能及，这也与伯宜公是一系的，虽然表现得有点不同。

四七　阿长的结局

顺便来一讲阿长的死吧。长妈妈只是许多旧式女人中的一个，做了一辈子的老妈子（乡下叫作“做妈妈”），平常也不回家去，直到了临死，或者就死在主人家里。她的故事详细的写在《朝华夕拾》的头两篇里，差不多已经因了《山海经》而可以不朽了，那里的缺点是没有说到她的下落，在末后一节里说：

> 我的保姆，长妈妈即阿长，辞了这人世，大概也有了三十年了吧。我终于不知道她的姓名，她的经历，仅知道有一个过继的儿子，她大约是青年守寡的孤孀。

这篇文章是一九二六年所写的，阿长死于光绪己亥即一八九九年，年代也差不多少，那时我在乡下，在日记上查到一两项，可以拿来补充一下。

戊戌（一八九八）年闰三月十一日，鲁迅离家往南京进学堂去。同年十一月初八日，四弟椿寿以急性肺炎病故，年六岁。这在伯宜公去世后才二年，鲁老太太的感伤是可以想像得来的，她叫木匠把隔壁向南挪动，将朝北的后房改作卧室，前房堆放什物，不再进去，一面却叫画师凭空画了一幅小孩的小像，挂在房里。本家的远房妯娌有谦少奶奶，平常同她很谈得来，便来劝慰，可以时常出去看戏排遣。那时只有社戏，雇船可以去看。在日记上己亥三月十三日项下云：

晨乘舟至偏门外看会，下午看戏，十四日早回家。

又四月中云：

初五日晨，同朱小云兄，子衡伯捞叔，利宾兄下舟，往夹塘看戏，平安吉庆班，半夜大雨。

初六日雨中放舟至大树港看戏，鸿寿堂徽班，长妈妈发病，辰刻身故，原船送去。

长妈妈夫家姓余，过继的儿子名五九，是做裁缝的，家住东浦大门溇，与大树港相去不远。那船是一只顶大的“四明瓦”，撑去给她办了几天丧事，大概很花了些钱。日记十一月十五日项下云：

五九来，付洋二十元，伊送大鲢鱼一条，鲫鱼七条。

他是来结算长妈妈的工钱来的，至于一总共付多少，前后日记有断缺，所以说不清楚了。

四八　阿长的结局二

关于前回的事，还有补充说明之必要。那一次看戏接连两天，共有两只大船，男人的一只里的人名已见于日记，那女人坐的一只船还要大些，鲁老太太之外，有谦少奶奶和她的姑蓝太太，她家的茹妈及其女毛姑，蓝太太的内侄女。《朝华夕拾》中曾说及一个远房的叔祖，他是一个胖胖的，和蔼的老人，爱种一点花木，他的太太却正相反，什么也莫名其妙，曾将晒衣服的竹竿搁在珠兰的枝条上，枝折了，还要愤愤地咒骂道："这死尸！"所说的老人乃是仁房的兆蓝，字玉田，蓝太太即是他的夫人，母家丁家衖朱姓，大儿子小名曰谦，字伯㧑，谦少奶奶的母家姓赵，是观音桥的大族，到那时却早已败落了。她因为和鲁老太太很要好，所以便来给鲁迅做媒，要把蓝太太的内侄孙女许给他，那朱小云即是后来的朱夫人的兄弟。长妈妈本来是可以不必去的，反正她不能做什么事，鲁老太太也并不当做用人看待，这回请她来还是有点优待的意思，虽然这种戏文她未必要看。她那时年纪大概也并不怎么大，推想总在五十六十之间吧，平常她有羊癫病即是癫痫，有时要发作，第一次看见了很怕，但是不久就会复原，也都“司空见惯”，不以为意了。不意那天上午在大雨中，她又忽然发作，大家让她躺倒在中舱船板上，等她恢复过来，可是她对了鲁老太太含糊的说了一句：“奶奶，我弗对者！”以后就不再作声，看看真是有点不对了。

大树港是传说上有名的地方，据说小康王被金兵追赶，逃到这里，只见前无去路，正在着急，忽然一棵大树倒了下来，做成桥梁，让他过去，后来这树不知是又复直起，还是掉下水去了。那一天舱位宽畅，戏班又好，大家正预备畅看的时候，想不到这样一来，于是大船的女客只好都归并到这边来，既然拥挤不堪，又都十分扫兴，无心再看好戏，只希望它早点做完，船只可以松动，各自回家，经过这次事件之后，虽然不见得再会有人发羊癫病，但开船看戏却差不多自此中止了。

四九　《山海经》

如《朝华夕拾》上所说，在玉田老人那里他才见到了些好书。

在我们聚族而居的宅子里，只有他书多，而且特别。制艺和试帖诗自然也是有的；但我却只在他的书斋里，看见过陆玑的《毛诗草木鸟兽虫鱼疏》，还有许多名目很生的书籍。我那时最爱看的是《花镜》，上面有许多图。他说给我听，曾经有过一部绘图的《山海经》，画着人面的兽，九头的蛇，三脚的鸟，生着翅膀的人，没有头而以两乳当作眼睛的怪物。

但是他自己有书，乃是始于阿长的送他一部《山海经》。《朝华夕拾》上云：

这四本书，乃是我最初得到，最为心爱的宝书。

书的模样，到现在还在眼前。可是从还在眼

前的模样来说，却是一部刻印都十分粗拙的本子。纸张很黄，图像也很坏，甚至于几乎全用直线凑合，连动物的眼睛也都是长方形的。但那是我最为心爱的宝书，看起来，确是人面的兽，九头的蛇，一脚的牛，袋子似的帝江，没有头而以乳为目、以脐为口，还要执干戚而舞的刑天。

此后我就更其搜集绘图的书，于是有了石印的《尔雅音图》和《毛诗品物图考》，又有了《点石斋丛画》和《诗画舫》。《山海经》也另买了一部石印的，……木刻的却已经记不清是什么时候失掉了。

这里说前后两段关系很是明白，阿长的描写最详细，关于玉田虽只是寥寥几行，也充满着怀念之情，如云："这老人是个寂寞者，因为无人可谈，就很爱和孩子们往来，有时简直称我们为小友。"这种情事的确是值得记念的，可是小时候的梦境，与灰色的实生活一接触就生破绽，丙申年伯宜公去世后，总是在丁酉年中吧，本宅中的族人会议什么问题，长辈硬叫鲁迅署名，他说先要问过祖父才行，就疾言厉色的加以逼迫。这长辈就是那位老人。那时我在杭州不知道这事，后来看他的日记，很有愤怒的话。戊戌六月老人去世，鲁迅已在南京，到了写文章的时候，这事件前后相隔也已有三十多年了。

五〇 《山海经》 二

鲁迅与《山海经》的关系可以说很是不浅。第一是这引开了他买书的门，第二是使他了解神话传说，扎下创作的根。这第二点可以拿《故事新编》来做例子，那些故事的成分不一样，结果归到讽刺，中间滑稽与神话那么的调和在一起，那是众所周知的事了。嫦娥奔月已经有人编为连环图画，后羿的太太老是请吃乌鸦炸酱面，逼得她只好吞了仙丹，逃往冰冷的月宫去，看惯了不以为奇，其实这如不是把汉魏的神怪故事和现代的科学精神合了起来，是做不成功的。可惜他没有直接利用《山海经》材料，写出夸父逐日来，在他的一路上，遇见那些奇奇怪怪的物事，不但是一脚的牛，形似布袋的帝江，就是贰负之尸，和人首蛇身衣紫衣的山神（虽然蛇身怎么穿紫衣，曾为王崇庆在《山海经释义》中所笑），也都可以收入，好像目连戏中的街坊小景，那当成为一册好玩的书，像

《天问图》似的，这在他死后就再也没有人能做或肯做的了。

阿长的《山海经》大概在癸巳年以前，《毛诗品物图考》初次在王府庄看见，所以该是甲午年所买，《尔雅音图》系旧有，不知伯宜公在什么时候买来的。木板大本却是翻刻的《花镜》，从中房族兄寿颐以二百文代价得来，那时他已在三味书屋读书，所以年代也该是甲午吧。此外有图的书先后买来的，有《海仙画谱》《百将图》《点石斋丛画》《诗画舫》《古今名人画谱》《海上名人画稿》《天下名山图咏》《梅岭百鸟画谱》，都是石印本。又王冶梅的《三十六赏心乐事》，马镜江的《诗中画》，和《农政全书》本的王磐的《野菜谱》，大概因为买不到的缘故，用荆川纸影写，合订成册，可以归在一类。在戊戌前所买的书还有《郑板桥集》、《徐霞客游记》、《阅微草堂笔记》、《淞隐漫录》、影印宋本《唐人合集》、《金石存》、《酉阳杂俎》，这些也都是石印本，只有《徐霞客》是铅印，《酉阳杂俎》是木板翻刻本。书目看去似乎干燥杂乱，但细看都是有道理的，这与后来鲁迅的工作有关联，其馀的可惜记不得了，所以不能多举几种出来。

五一　仁房的大概

关于各房的事未曾说及，现在因为讲到玉田，所以把仁房提前来一说吧。仁房底下也分作三派，以礼义信为名。礼房的长辈已先死，剩下的是十三世，那里又分两房，长房三弟兄，以小名为号，六四字蕖史，四七字思蕺，五十字衍生，只有六四娶妻成家，有子名连元，字利宾，女名阿云。次房子衡，小名曰惠，过四十后始娶，有子女，名字不具详。义房十二世弟兄甚多，在癸巳前后只存花塍，是个秀才，椒生名庆蕃，是举人，玉田是秀才，藕琴在陕西。椒生有二子，长伯文，次仲翔，是秀才，玉田有二子，长伯㧑是秀才，次仲阳。花塍无子，以伯文为后，信房十二世吉甫在平湖做教官，死于任所，无子女，以仲阳为后。那时住屋分配，第四进五进东头两幢归于礼房，中部是义信两房的，因承继关系差不多都为义房所有了。那里也是一个小堂前，西边后房花塍死后，为椒生住室，后房是玉田所居，将廊下隔断，改造为小书房，南窗下放着书桌，鲁迅所说各种名目很生的书籍，便是在这地方看见的。那小堂前和小书房其实即与兴房的东一东二正相对，中间是一个不大的明堂，却用曲尺形的高墙隔开了，南面只剩了一条狭长的天井，北面的小明堂也就并不宽大，阳光不多，这于爱种珠兰建兰的人是很不方便的。从白板门出去，走过大堂前，弯到那里去很有一大段路，但如没有那墙，就只有一个院子之隔，不过十步左右而已。戊戌以后，伯㧑夫人为得慰问鲁老太太丧儿之痛，时相过从，那时玉田公也去世了，她有时候便隔着墙叫话，问候起居，吃过饭没有，便是利用这房屋特别的构造，若是两间相并的房间，倒反而不能那么容易传声了。

五二　玉田

玉田进秀才时，名兆蓝，这与他的小名蓝和玉田的号是相合的，后来有一时他改名瀚清，玉田也改了一字成为玉泉，又别号琴逸，我曾买到他的一部遗书，翻刻小本的《日知录集注》，书面有他的题字，就用这个别号，和“玉泉”与“臣瀚清印”的两方印章。介孚公点了翰林的时候，族中从兄弟有的改名用“清”字排行，如这“瀚清”是合格的，但子京本名致祁，与介孚公旧名致福原是排行，却改名为福畴，硬用福字去做排行，忘记了这是人家的小名，弄成了笑话，可是他自以为是，后来一直还是使用着。

玉田去世很早，我赶不上同他往来，所以他的学问志趣不很明了，所记得的只是在他那里看见过《毛诗草木鸟兽虫鱼疏》和《笃素堂文集》，那桐城张氏父子的处世哲学还不能理解，其中一卷《饭有十二合说》却觉得有意思，虽然那里说的是些什么话，于今也完全忘记了。后来收集本乡人的著作，得着两册一部《瘦吟庐诗钞》，也是他的旧藏，从这零星的材料推测起来，他大概是一个较有学问艺术趣味的文人，虽是没有什么成就，但比那时只知道做八股的知识阶级总是好得多了。

鲁迅手抄本中有一册《鉴湖竹枝词》，共一百首，是玉田所著，乃是从手稿中抄出来的，卷末有小字记年月，侄孙樟寿谨录字样，大概是戊戌前半年吧，已在那次族中会议之后，但对他的感情还仍是很好，这也很可注意，可知他给鲁迅的影响不浅，关系始终不坏。在旧日记中梅里尖扫墓项下，抄有一首竹枝词云：

> 耸尖遥瞻梅里尖，孤峰高插势凌天，
> 露霜展谒先贤兆，诗学开科愧未传。

原注云：

> 先太高祖韫山公讳璜，以集诗举于乡。

诗并不佳，只是举例罢了，韫山公是第六世，坟墓在梅里尖地方。

五三　藏书

这里笔又要岔开去，一谈家中旧有的藏书了。鲁迅在说玉田的地方曾云，“在我们聚族而居的宅子里，只有他书多，而且特别”，这就间接的把自己家里也评定在里边了。在有些本家的房间里，的确看不到什么书，除了一本上写“夜观无忌”四字的时宪书，乡下只叫作历日本，也不叫黄历。这边算是书香人家，当然不至于那样，可是书并不能说多，而且更其缺少特别的书，换句话说就是制艺试帖关系以外的名目很生的书籍。可能有些是毁于太平天国之战，有些是在介孚公的京寓吧，总之家里只有两只书箱，其一是伯宜公所制的，上面两个抽屉，下面两层的书橱，其他是四脚的大橱，放在地上比人还高，内中只分两格，一堆书要叠得三尺高，不便拿进拿出，当作堆房而已。橱里的书籍可以列举出来的，石印《十三经注疏》，图书集成局活字本《四史》，《纲鉴易知录》

《古文析义》《古唐诗合解》为一类，《康熙字典》大本和小本的各一部，也可以附在这里。近人诗文集大都是赠送的，特别的是《洗斋病学草》和《娱园诗存》，上有伯宜公的题识，《说文新附考》《诗韵释音》，虽非集子也是刻书的人所送，又是一类。此外杂的一类，如《王阳明全集》、《谢文节集》、《韩五泉诗》、《唐诗叩弹集》、《制义丛话》、《高厚蒙求》、《章氏遗书》即《文史通义》、《癸巳类稿》等。现在末一种书尚存，据说是伯宜公的手泽书，虽然没有什么印记，实在那些书中也就是这最有意义，至今还可以看得，《叩弹集》也还在，这是晚唐诗的选集，同类的书不多，但少有时间与兴趣去看它了。这与玉田的书相比，其启发诱掖的力量当然要小不少，但很奇怪的是有一部科举用书，想不到其力量在上记一切之上。这是石印的《经策统纂》，石印中本，一共有好几十册，是伯宜公带到考场里去用的，但里边收的东西很不少，不但有《陆玑诗疏》丁晏校本，还有郝氏《尔雅义疏》，后面又收有《四库提要》的子集两部分，这给予很大的影响，《四库简明目录》之购求即是从这里来的。《经策统纂》本来是十夹板吧，改用定做的小木箱装盛，不可思议地经过好些灾难却还是保存着。

五四　抄书

没有什么好书，可以引起小孩读书的兴趣，但是他们自己能活动时，也可以利用，有如大人的破朝靴，穿了会得跳钟馗捉鬼，表现得很好玩的。这总在癸巳以前，在曾祖母卧室的空楼上，南窗下放着一张八仙桌，鲁迅就在那里开始抄书的工作。说也奇怪，房间与桌椅空闲的也有，小孩却一直没有自己的书桌，不用说什么自修室了，这是乡下风习如此，反正功课都在书房里做了，并没有宿题带回家来的。至于读夜书，那是特别热心科举的人家才有，伯宜公自己不曾看见在读八股，所以并不督率小孩，放学回来就让他们玩去好了。那时楼上有桌子，便拿来利用，后来鲁迅影写《诗中画》，是在桂花明堂廊下，那里也有桌子一两张闲放着。最初在楼上所做的工作是抄古文奇字，从那小本的《康熙字典》的一部查起，把上边所列的所谓古文，一个个的都抄下来，订成一册。

其次是就《唐诗叩弹集》中抄录百花诗，如梅花桃花，分别录出，这也搞了不少日子，不记得完成了没有。这些小事情关系却是很大。不久不知道是不是从玉田那里借来了一部《唐代丛书》，这本是世俗陋书，不大可靠，在那时却是发见了一个新天地，这里边有多少有意思的东西呀。我只从其中抄了侯宁极其实大概是陶穀假造的《百药谱》和于义方的《墨心符》，鲁迅抄得更多，记得的有陆羽《茶经》三卷，陆龟蒙的《耒耜经》与《五木经》等。这些抄本是没有了，但现存的还有两大册《说郛录要》，所录都是花木类的谱录，其中如竹谱笋谱等五六种是他的手抄，时代则是辛亥年春天了。不知道在戊戌前的哪一年，买到了一部《二酉堂丛书》，其中全是古逸书的辑本，有古史传，地方志，乡贤遗集，自此抄书更有了方向，后来《古小说钩沉》与《会稽郡故书杂集》就由此出发以至成功，虞喜谢沈等人的遗文则尚未能成就。那些谱录的抄写，全是在做这辑录工作时候的副产物，而其线路则是与最初《茶经》有关连的，这类东西之中他想校刊《南方草木状》和《岭表录异》，有过若干准备，却可惜也终于未曾做成。

五五　椒生

鲁迅于戊戌年春间往南京进学堂去，这与仁房的椒生很有关系，现在要来说明一下。椒生名庆蕃，小名曰庆，鲁迅这一辈叫他作庆爷爷，又因为他的大排行系十八，所以鲁迅从前的日记上常写作十八叔祖。他是个举人，这科名在以前不容易得到手，秀才只能称相公，中了举就可以叫老爷了，所以他自己也颇自傲，虽然“新台门周家”大家知道，他总要信上写明“文魁第周宅”的，可是他的举人乃是属于最多数的一种，即是只能做八股，或者比一般秀才高一点，至于文章与学问还是几乎谈不到的。他以候补知县的资格到南京去投奔妻族的长亲，一个直乐施人姓施的，是个老幕友，以办理洋务名，一直在两江总督衙门里，东家换了，这位西席总是不动的，因了他的帮忙，被派在江南水师学堂教汉文，兼当监督。那时校长名叫总办，照例由候补道充任，监督用州县，仿佛是学监兼舍监的性质，不过那些官僚不懂得文化，只能管得宿舍的事情罢了。水师学堂原有驾驶管轮和鱼雷三班，椒生所任的是管轮堂监督，大概前后有十年之久。周氏子弟因了他的关系进那学堂的共有四人，最早是诚房的鸣山，本名凤岐，由椒生为改作行芳，那时学校初办，社会上很看不起，水陆师学生更受轻视，以为是同当兵差不多，因此读书人觉得不值得拿真名字出去，随便改一个充数。鸣山大抵是考的分数不够，据他说是不幸分派在驾驶班，那边的监督蒋超英和椒生有意见，所以把他开除了。其次是伯升改名文治，于丁酉年入学，甲辰年毕业，得到“把总”的顶带，上兵船去练习，仕至联鲸军舰正管轮。鲁迅是戊戌春间进去的，名字也是椒生所改，但他觉得里边“乌烟瘴气”，于次年退学，改入陆师附设的矿路学堂，至辛丑冬毕业，壬寅派往日本留学。我是末了的一个，辛丑秋天才进去，后来因为眼睛近视，改派学土木工程，于丙午夏离开学校了。在校的末后两三年间，椒生已休职回家，总办是那位蒋超英，他的水手（这名称里不含恶意）与副官气的官僚作风在同学中虽然很被笑话，可是人并不坏，这是我和鸣山的意见全不相同的。

五六　监督

鲁迅本名樟寿，字豫山，本来是介孚公给取的，后来因为同窗开玩笑叫他作雨伞，告诉祖父要改号，乃改一字曰豫才，及往南京去时，椒生为易名树人，这与豫才的意义也拉得上，所以不再变换，虽然自己所喜欢的还是从张字出来的“弧孟”，又取索居之意号云“索士”或“索子”。那时候考学堂本不难，只要有人肯去无不欢迎，所以鲁迅的考入水师，本来并不靠什么情面，不过假如椒生不在那里，也未必老远的跑到南京去，饮水思源，他的功劳也不可埋没。鲁老太太因此对他很是感激，在戊戌后每逢他年假回家的时候，总预备一只炖鸡送去，再三谢他的好意。但是好意实在也就只能说到这里为止，此后如在他的监督治下做学生，即使在他仍是很好的意思，但在受者便不免要渐引起反感来了。他以举人知县候补，几次保举到四品衔即用直隶州知州，根本上是个封建社会的士大夫，信奉三纲主义，附带的相信道士教（如惠定宇就注过《太上感应篇》），他每天在吃早饭之前也要在净室去朗诵《感应篇》若干遍，那正是不足为奇的。对于学生，特别是我们因为是他招来的本家，他最怕去搞革命，用心来防止，最初是劝说，措词妙得很，说“从龙”成功了固然好，但失败的多，便很是危险。看见劝阻无效，进一步来妨碍以至破坏，鲁迅东京来信以及毫不相干的《浙江潮》等，屡次被扣留，日后好容易才要回来，最后索性暗地运动把我们开除。可是到那时候，他自己的时运已经不济了，运动不能发生效力。辛丑壬寅总办是方硕辅，满身大烟气的道学家与桐城派，其时他很得意。癸卯来了黎锦彝，免去他的监督，让他单教汉文，可是还嫌他旧，到了秋天他只得卷铺盖回去了。这时候专办洋务的施师爷大概已归道山，否则总督即使由刘坤一换了魏光焘，也总还是要请他帮忙，而他假如坐在制台衙门里，候补道也要敷衍他一点，那么椒生的位置是不会失掉的。可是这也只能对付一个短时期而已，甲乙之间蒋超英以前游击衔回来做总办，椒生在那时也总不能不走了。

五七　监督二

椒生回乡之后，因了他举人的头衔与办过学堂的资格，就得到一个位置，即是绍兴府学堂的监督。不知道是副监督还是什么名义呢，总之有一个副手，此人非别，乃是后来刺杀恩铭的徐锡麟。他那时是个贡生或是廪生，已经很是出名，暗地里同了陈子英在打算“造反”，表面上却看不出，只是主张新学，自己勤勉刻苦，虽然世间毁誉参半，总之这与平常人是有点不同的。大概是甲辰的秋天，我到府学堂去，看见在客堂上放着直径五尺的地球仪，是徐伯荪自己糊的，那时他在教操，残暑尚在，他叫学生阴处稍息，独自兀立在太阳下，身穿竹布大衫，足着皮鞋，光头拖下一条细辫，留着当时心存不轨的人所常有的那样小顶搭，鼻架铁边的近视眼镜。这样的一个人，单就外表来看也可以知道那是和椒生的一套全合不来的，椒生穿的是上面三分之二白洋布，下面三分之一湖色绸的“接衫”，袖子大而且长，俨然是《荡湖船》里的脚色，他的那背诵《左传》，做“颖考叔论”的功课，也不吃香，其走向碰壁正是难免的了。不久之后他又下了野，其原因不很明了，但徐伯荪似乎也不长久干下去，大抵在甲辰年往日本去一转之后，就以道员往安徽去候补，两年后就动手杀了恩铭，椒生还以为他早看出这个乱党，自己有先见之明呢。

这之后，他只在家里教几个学生，从新做起塾师来了。辛丑年底藕琴从陕西回家，义房的住屋重行分配，旧日玉田椒生所用部分都归了他，玉田妻媳移住后一进，伯文仲翔住在礼房偏东前后进屋内，利宾则搬在大门内的大书房里去了。椒生回来的时候，里边没有房子可住了，乃向诚房借用白板门内的“兰花间”，教书也就是在那里。他是以道学家自居的，可是到了晚年露出了马脚来，有一回因举动不谨，为老妈子所打，他的二儿媳从楼窗望见，大声说道：“打得好，打死这老昏虫！”这类的事情很多，暴露出士大夫的真相，也是有意思的事，但是因为顾惜笔墨与纸面，所以就径从节省了。

五八　轶事

椒生有两个儿子。次子仲翔是个秀才，人颇机警，戊戌以后附和维新，与鲁迅很谈得来，有如朋友，清末在箔业小学教书，至民国八年时还在那里。长子伯文性稍暴烈，目睛突出，浑名曰“金鱼”，当初和鲁迅也常往来，因为能仿写颜欧体字，故常请其题署，曾买得书贾以《龙威秘书》等板杂凑而成的丛书一部，名《艺苑捃华》，内有《汉武外传》《南方草木疏》，以至《丽体金膏》，共二十四册，一一请其为写书面，又戊戌冬椿寿病故，其墓碑“亡弟荫轩处士之墓”八字，也是他所写的。他的故事很不少，最初是在乡间人家坐馆，因为责罚学生，用竹枝打后，再用盐擦，被东家解雇，这与子京的门缝里夹耳朵可称双绝，平心说起来，广思堂的私塾也还要文明得多了。其次是己亥年院试，仲翔以四十名入学，伯文落第，他乃大怒，拔院子里的小桂花树出气，自己卧地用尽力气，终于把它连根拔起。人家劝慰他，答道："我并不是为了兄弟进学而生气，气的乃是我隔壁的一号入了选。"考试用弥封，院试揭晓初用字号，及复试后乃正式发表名字，他这里将考试与彩票摇彩一样看待，虽然说场中莫论文，却总被人说作笑话了。椒生晚年胡闹，儿子们很是狼狈，仲翔偶然走进去，看他正在写字，以为是什么正经文字，近前一看乃是在写凭票付洋若干，将来向儿子们好来要的债票，好在他重听不知道，仲翔便又偷偷的走了出来。有一天，诚房的子传太太走过，看见兰花间门口竖放着一条长板凳，问这是怎么的，谁也不知道，便移开完事。后来伯文私下告诉人，那是他装的"弶"，让老昏虫碰着摔一个跟斗，就此送了老命。他虽是不第文童，可是他不赞成改革，痛恨革命党，对于兴房以后就很不好，虽然他们进学堂原先都是因了椒生的线索去的。辛亥冬天杭州已经光复，乡下谣言很多，伯文正上大街，忽然听传说革命党进城了，他立即双腿发软，再也站不起来，经旁人半扶半抬的把他弄回家来，自此以后虽是革命党并不来为难他，却是威风完全失尽，没有什么奇事可说，至癸丑年遂去世了。

五九　墓碑

上文讲到椿寿的墓碑，所以连带的说下去。椿寿小名曰春，荫轩的号也是介孚公给取的。他死时才六岁，但那碑的格式却颇阔气，下署兄樟寿立，那时鲁迅正从南京告假回家，大概是十月中到家，查旧日记这月份缺少，只记十一月初六日县考，周氏去者数人，鲁迅在内，初七日椿寿病重，初八日辰时身故，十一日鲁迅往南京。廿九日县考出大案，凡十一图，鲁迅三图三七，仲翔头图廿四，伯文四图十九，案首为马福田，即马一浮是也。椿寿葬在南门外龟山，相去不远还有一座小坟，坟前立片石，上题“亡女端姑之墓”，下款是伯宜，但下文看不清楚了。龟山那里临河有一个废庙或庵的遗址，除门口两间住着看守人之外，其馀都改作为殡屋，兴房也有一间，伯宜公的生母孙夫人的灵柩就停放在那里，大抵是为了这个缘故，伯宜公所以把他的亡女去葬在殡屋背后的空地上的吧。丙申年伯宜公去世，也殡在那里别一间屋里，和寿颐的父亲桂轩在一起，他们生前原颇要好，常是一处吃酒的。隔了一年，椿寿也被送往龟山，不能像大人那么停放，所以也就埋葬了，那里有点是丛冢性质，端姑的近旁没有地方了，就离开有一二十步的光景。在逍遥溇地方买有本家不用的寿坟三穴，蒋老太太去世后，就给介孚公和两位祖母下了葬，到了民八即一九一九年举家北迁的时候，添做了一穴给伯宜公用，葬在龟山的端姑和椿寿也都迁去附葬在那里了。这迁葬的事是鲁迅亲自经手的，后来在《彷徨》的《在酒楼上》一篇小说里，借了吕纬甫的口里来说过一个大略。那因为是小说，所以说小兄弟是三岁上死的，虽然实在乃是六岁，至于说坟里“什么也没有”了，那自然是事实。当初埋葬是我经办的，在寒风中看着泥水作庆福用砖铺地，放上棺木，再拿砖砌成墓穴，叫作“等棺打”，这情形一直记忆着，直至听到什么也没有的话以后，才算消了这个块垒。小妹妹比小兄弟的死要早十年，而且那时也还不到一周岁，虽然文中不曾说及，其完全复归于土当更是没有问题的了。

六〇　讲《西游记》

义房的事情还有一部分没有讲到，现在来补说一下。义房第十二世亲兄弟共有九个，但是我们所能见到的后来只有四位罢了，末了的一个便是“九老爷”，号叫藕琴，这二字不知是什么意思，大概或者是后来改的同音字吧。他从小在外边，大约是做幕友，却也不知道是刑名还是钱谷，只听说他向来在陕西韩城一带做事，到了辛丑壬寅之交就退休回乡，以后一直不再出门了。他的夫人是陕西人，他的一子一女，子号曰冠五，在陕西生长，连他自己都是陕西话，虽然他的自然不很道地，近于蓝青官话，但在乡下听起来总是“拗声”了。他回家已是在二十世纪，所以在我们百草园的老话中间，不讲到他也没有什么不可以，但是他的轶事有一说的价值，这一节说是有点破例也罢。

他从陕西回家的时候，介孚公也于大半年前从杭州回来了，至甲辰年介孚公去世为止，他们老兄弟有过三年盘桓，可是说也奇怪，这对于他好像是一桩苦事似的。介孚公平日常站在大堂前，和诚房的人聊天，里三房的人出入，经过那里，也拉作谈话的对手，因为介孚公喜欢批评人，大家都不大高兴听，这本是一般的实情，但藕琴是特别害怕，有时候要上大街去，不敢贸然出来，必须先叫冠五去一看，假如介孚公站在堂前，他的出行是只可无条件的延期了。他怕的是什么呢？介孚公也并不怎么的麻烦他，一看见就同他谈《西游记》，特别是猪八戒的故事，即使他推说有事要急走，也不肯听，总要留住他讲几句的。介孚公的确喜欢《西游记》，平常主张小孩应该看小说，可以把他文理弄通，再读别的经书就容易了，而小说中则又以《西游记》为最适宜。他爱讲孙行者败逃，化成破庙，尾巴没法安排，变作一枝旗竿，竖在庙后门，立即被敌人看破，以为全是小孩想头，写得很好，这个我也同意。但不知对藕琴讲的是些什么，或是用意何在呢？我们在《百草园》里破例记这件事，实在却也已经是老话了，上边说过的义房诸人现今只有冠五健在，多少知道这事的大概也就只是他了吧。

六一 伯升

介孚公身边的亲人，如他在日记信札上所称，是潘姨与升儿，因为他对家人有时过刻，所以大家对于他们或者未免有些不满，其实也并不一定，平心说起来，有的本来不坏，有的也是难怪的。伯升生于光绪壬午，生母章姨太太是湖北人，早年去世，他从五六岁（?）的时候归潘姨太太管领，可是他并不是她的一系，回家以后对于嫡母及兄嫂很有礼貌，一直没有改变。他于癸巳年同我在厅房里从伯文读书，乙未在三味书屋，丙申随潘姨太太往杭州，丁酉进了南京水师学堂，甲辰毕业，以后一直在船上，至民国七年戊午殁于上海，年三十七。他小时候在北京，生活大抵不差，后来却很能吃苦，平常总是笑嘻嘻的，这很是难得。但是他有一种北京脾气，便是爱看戏，在南京时有一个时期几乎入了迷，每星期日非从城北走到城南去一看粉菊花（男性）的戏不可。椒生正做着监督，伯升从他玻璃窗下偷偷走过，他本来近视也看不见，但是伯升穿着红皮底响鞋，愈是小心也就愈响得厉害，监督听到吱吱的响声，也不举起头来，只高叫一声道“阿升！”他就只好愕然站住，回步走到监督房里去，这一天已是去不成了。有时椒生苦心的羁縻他，星期六晚同他预约，明早到他那里吃特别什么点心，伯升唯唯，至期不到，监督往宿舍去找，只见帐门垂着，床前放着一双布马靴，显得还在高卧，及至进去一看，却已金蝉蜕壳，大概已走过鼓楼了。他实在是个聪明人，只可惜不肯用功，成绩一直在五成上下，那时标准颇宽，只要有五十分的分数就可及格，幸而也还有真是不大聪明的朋友，比他要少两分，所以他还巴得牢末后二三名，不至于坐红椅子。可是他并不为意，直弄到毕业，我觉得这也有点儿滑稽味的。

潘姨太太是北京人，据伯升说她名叫大凤。她是与介孚公的小女儿同年的，所以推算当生于光绪戊辰年。一夫多妻的家庭照例有许多风波，这责任当然该由男子去负，做妾的女子在境遇上本是不幸，有些事情由于机缘造成，怪不得她们，所以这里我想可以不必多说了。

六二 《恒训》

介乎公爱骂人，自然是家里的人最感痛苦，虽然一般人听了也不愉快，因为不但骂的话没有什么好听，有时话里也会有刺，听的人疑心是在指桑骂槐，那就更有点难受了。他的骂人是自昏太后、呆皇帝直至不成材的子侄辈五十、四七，似乎很特别，但我推想也可能是师爷学风的馀留，如姚惜抱尺牍中曾记陈石士（?）在湖北甚为章实斋所苦，王子献庚寅日记中屡次说及，席间越缦痛骂时人不已，又云，“缦师终席笑骂时人，子虞和之，余则默然”，是其前例。他的骂法又颇是奇特，一种说是有人梦见什么坏人反穿皮马褂来告别，意思是说死后变成猪羊，还被害人的债，这还是平常的旧想头，别的是说这坏人后来孤独穷困，老了在那里悔。后者的说法更是深刻，古代文人在《冥土旅行》中说判定极恶的霸王的刑罚是不给喝孟婆汤，让他坐在地狱里，老在回忆那过去的荣华与威力，比火河与狗咬更要利害，可以说有同样的用意了。

介孚公著有一卷《恒训》，大概是丙申年所写，是给予子孙的家训，原本已佚，只存鲁迅当时在南京的手抄本。这里边便留存有不少这类的话，此外是警戒后人勿信西医“戴冰帽”，据他说戴者必死，这大抵是指困冰枕头或额上搁冰袋之类吧，还有旅行中须防匪人，勿露钱财，勿告诉姓名等事。这一本家训算来几乎全是白写，因为大家没有记得一条，没有发生一点效用。但是他的影响却也并不是全没有，小时候可以看小说，这一件事的好处我们确是承认，也是永不能忘的。还有一件事是饭后吃点心，他自己有这个习惯，所以小时候我们也容许而且叫吃，这习惯也养成了，往往在饭前吃这一个月饼时，午饭就要减少，若是照例吃过午饭之后来吃，那么一个两个都可以不成问题。后来鲁迅加以新的解说，戏称之曰“一起消化”，五四后钱玄同往绍兴县馆谈天，饭后拿出点心来的时候，他便笑说道：“一起消化么？”也总努力奉陪吃下一个的。

六三　病

关于伯宜公的病，《朝华夕拾》中有专写的一篇，但那是重在医药，对于江湖派的旧医生下了一个总攻击，其意义与力量是不可以小看的。但是病状方面只说到是水肿，不曾细说，现在想来补充几句，只是事隔半世纪以上，所记得的也不很多了。

伯宜公于丙申年九月初六日去世，这从旧日记上记他的忌日那里查到，但他的病是甚么时候起的呢，那就没有地方去查了。《朝华夕拾》中说请姚芝仙看了两年，又请何廉臣看了一百多天，约略估计起来，算是两年四个月吧，那么该是起于甲午年的四五月间。可是据我的记忆，伯宜公有一天在大厅明堂里同了两个本家弟兄谈论中日战争，表示忧虑，那至早也当在甲午八月黄海战败之后，东关金家小姑母八月之丧他也是自己去吊的，所以他的病如在那一年发生，可能是在冬季吧。

最早的病象是吐狂血。因为是吐在北窗外的小天井里，不能估量共有几何，但总之是不很少，那时大家狼狈的情形至今还能记得。根据“医者意也”的学说，中国相传陈墨可以止血，取其墨色可以盖过红色，于是赶紧在墨海里研起墨来，倒在茶杯里，送去给他喝。小孩在尺八纸上写字，屡次舔笔，弄得“乌嘴野猫”似的，极是平常，他那时也有这样情形，想起来时还是悲哀的，虽然蒙胧的存在眼前。这以后却也不再吐了，接着是医方与单方并进，最初作为肺痈医治，于新奇的药引之外，寻找多年埋在地下化为清水的腌菜卤，屋瓦上经过三年霜雪的萝卜菜，或得到或得不到，结果自然是毫无效验。现在想起来，他的病并无肺结核的现象，那吐血不知是从哪里来的。随后脚背浮肿，渐至小腿，乃又作水肿医治，反正也只是吃“败鼓皮丸”。终于肿到胸腹之间，他常诉说有如被一匹小布束紧着，其难受是可想而知的了。他逝世的时刻是在晚上，那时椿寿只有四岁，已经睡着了，特别叫了起来，所以时间大概在戌亥之间吧。

六四　大书房

要讲到礼房和诚房其他的事情，都与大书房有相关，须得先把大书房所在的那一部分地方先来说明。这便是新台门西南部分，自大厅以西，桂花明堂以南，西至梁宅，南至街为界。其间又可以划分为东西两部。西部另有街门，很早以前出租与人，曾祖母是古老严肃的人，不知怎的肯把这租给开棺材店，突出在东面一条墙上直行写道“张永兴号龙游寿枋”。东部的北头一部分即是兰花间，上文已曾说及，往南下去则是所谓厅房，再下去即是大书房了。厅房是兴房所有，平常当作客室用，计朝西屋三间，朝北屋四间，成曲尺形，转角这一间有门无窗，别无用处，院子不大，却很有些树木，有月桂，虽不是每月，秋季以外常发出桂花香来，可见的确开花的，罗汉松结子如小壶芦，上青下红，山茶花、枇杷、木瓜各一株，北窗均用和合窗，窗外有长石凳高低四列，可知以前是很种过些花，大概与兰花间的名字是有关联的。大书房系南北大房各三间，中间一个明堂，靠西是一株桂花，东边一个花坛，种着牡丹，两边是过廊，与南北房相连接。大书房的朝南正屋虽高大，但与厅房的朝北四间是同一屋顶，所以进身不算深，正中间梁上挂着一块匾，写着四个字道“志伊学颜”，原来不知道是何人手笔，后来所见的乃是中房的芹侯所重写，他通称“廿八老爷”，乃是第十二世中顶小的一位了。

大书房最初是玉田督率他子侄辈读书的地方，时代大概是癸巳甲午，那时牡丹桂花都还健在，伯文与仲阳常因下棋吵架，一个将棋盘撕碎，一个拿棋子撒满明堂中，过了一会又决定从新比赛，便分头去满地拣拾黑白子，或往东昌坊口杂货小铺买纸棋盘去了。本名孟夫子的那位孔乙己也常来枉顾，问有没有文件要抄写，也或顺手拿一部书出来，被玉田碰见，问为什么偷书，答说“窃书不是偷”，这句名言也出在那里。这之后闲废一时，由礼房四七诚房桐生先后寄居，末了礼房利宾全家移入，一部分租给中房月如日如兄弟，阿Q的老兄也即是《在酒楼上》所说的长富父女，也借住一角，于是这大书房乃大为热闹起来了。

六五　礼房的人们

礼房底下大概也有分派房分，但是现在说不清楚了。只知道其一派是子衡，小名阿惠，曾当过朱墨师爷之类，早已赋闲在家，晚年才成家，住在第四进堂前的一间楼上。他独身时代是有名的“街楦”，整天在外坐茶馆，听谣言，自称是狗眼，看得见鬼，说些鬼话吓唬女人们，别的坏处也还没有，却常被介孚公引为骂人的资料，与四七、五十同当作不肖子弟的实例。上文说过六四、四七、五十是三兄弟，只有六四娶妻，生有子一连元，女一阿云，四七与五十都始终是“光棍”。六四依靠姑夫陈秋舫，是个前清进士，荐在育婴堂里任司事，四七曾作长歌嘲之，于拜忌日时当众朗诵，起首云：“绍兴有个周六四，育婴堂里当司事。”此下有“雪白布头包银子”一句，其馀惜已记不得了。他家里的事没有什么特别可记的，除了阿云的这一节。阿云是一个不大得人欢喜的小姑娘，我们小时候常要戏弄她，故意吃东西给她看，却不给她吃，害得她追着看。她于十二三岁时病死了，她的母亲非常哀悼，几乎寝食皆废，听到的人无不替她悲伤，虽然他们平时对于六四太太并没有多少好感。恰好不知从哪里来了一个“夜牌头”，就是自称走阴差的，平常她们利用迷信骗人骗钱，一定要说那死姑娘怎么在地狱受苦，要她去设法救助可以放免，这回却并不然，她反肯排难解纷，说阿云现今在塔子桥的社庙里，给土地奶奶当从神，一切很好，比在家里还要舒服，也是一番鬼话，却发生了很好的效力。六四太太不但立即停止了她的哀悼，叫人拿了好些纸糊东西到庙里去焚化，给阿云使用，一面又逢人宣布她的喜信，阿云现在做了从神，在什么地方，是什么情形等。从前替她悲伤的人，这次听了她欢喜的报告，又感到一种别的悲哀，因为这明明是一颗吗啡止痛丸，看着她吞下去的，觉得人的受骗真是太容易了。这“夜牌头”的真相终于不曾明白，或者是她自动的说的也未可知，但一般推测是由于六四的计划，嘱咐她这样的说，那也是可能的事。

六六　四七

四七与五十两人不知道是谁居长，但总之是年纪都要比伯宜公为大，因为小孩们叫他们为伯伯，却念作阳韵，上一字上声，下一字平声，虽然单读如某伯时也仍念作药韵。四七看他的脸相可以知道他是鸦片大瘾，又喜喝酒，每在傍晚常看见他从外边回来，一手捏着尺许长的潮烟管，一手拿了一大“猫寨碗”的酒（寨当是槽字的转变，指喂养动物的食器），身穿破旧龌龊的竹布长衫，头上歪戴了一顶瘪进的瓜皮秋帽，十足一副瘪三气。但是据老辈说来，他并不是向来如此的，有一个时候相当的漂亮，也有点能干，虽是不大肯务正路。介孚公于同治辛未（一八七一）年中进士，点翰林，依照旧时封建遗风，在住宅和祠堂的门口须要悬挂匾额，那时匾上二尺见方的大字即是四七所写，小时候看了一直觉得佩服。大概是癸巳年我同伯升在厅房里读书的时候，曾经请他写过字看，前后相去二十多年，手已发抖写不好了，可是看他的底子还在，比伯文自夸的颜欧各体要好得多。介孚公往江西做知县时，曾带了他去，但是照例官亲总不大能安分，所以不久同了介孚公的外甥一起被打发回家来了。这其间多少年的事情全不清楚，我所能记得的便是那一副落魄相了，脸上没有烟酒气，衣服整齐的时代该是哪么个样子，简直没法子想象，因为他后来的模样完全是一个流氓了。

乡下的流氓有这些分类，由讼师式的秀才文童组成的名为破靴党，一般的低级的则叫作“破脚骨”，积极的进行讹诈，消极的维持地盘，第一要紧的条件是禁得起打，他们的行话叫作“受路足”。四七在本家中间不曾有过讹诈的行为，但听他在吃忌日酒的时候自述，“打翻以（又）爬起，爬起以打翻”，颇能形容出他的受路足的工夫。他的生活诚然穷苦，但每天的茶饭烟酒也相当要几个钱，不知道他是怎么筹划来的，现在想起来还觉得是一个不可解的谜。大概这是破落大家出来的长衫帮“破脚骨”的一派作风吧，如孟夫子应当也是这一路，但比起来却要狼狈得多，因为他的脚真是给人家打折了（参看《孔乙己》）。

六七　四七与五十

四七有一个时期住在后园的“三间头”里。上文已经说及那是仁房所有的房屋，在园的东北角，从大门口进去，要走通五进房子，再通过整个园地，这园里传说有一条大火练蛇，是要扑灯光的，夏天野草长得三四尺高，他于晚间在这当中来去自如，这倒也是很可佩服的。随后他迁移到大书房里，这不知道是在哪一时代，大抵已在他的晚年，他就在那里病殁，至于年月那也已无可考了。

在大宗族的祠堂里，举行春秋祭祀，饮胙时小辈自由坐下在每桌的上下两旁，只留下旁边的一把太师高椅，等辈分上排定的人来坐。这人反正是不认识的，辈分至少要高三辈，叫他作太公总是不会错的，可能是一个二三十岁的店伙，也可能是瘪三样的人，全是要碰巧。在宗祠里这种情形无法避免，平常吃忌日酒便比较好办，例如四七那副尊容，衣服不干净，而且口多微词，始终对于他的长兄夫妇丑诋恶骂，不肯休止；没有固定坐位的小孩们便可以自主的不到他那一桌上去，没有什么困难。可是假如你不避忌他，跑去坐在他那里，他也会知道你的好感，表示一点客气，虽然他的嘲骂或是朗诵未必因而有所改变。对于他，大概只有用这两极端中的某一种办法。

四七这人给予你以一种不愉快的印象，即使他的言动于你毫无关系，相反的是五十，他是个大阴谋家，可是人家见了他不但不害怕，而且反觉得可亲近。我想这好有一比，四七大抵有点像狗，特别是一只外国的牛狗，而五十则是一头猫吧。五十据说曾在县衙门的什么库房里做过事，不过我们认识他时，早已什么事都不干，只在诚房寄食，过着相当舒适的生活。这也是一个不可解的谜。他平常总说："没有钱愁它什么，到时候总自会来的。"这句话不知有何事实或理论的根据，但在他却并不是说的玩话，因为我们的确看他没有穷过，说他有钱呢，那也当然并不是的，这些难问题我们无法解答，所能知道的也就只是表面的琐事罢了。

六八　五十在诚房

诚房的事情以前没有讲了，因为要等五十来补足，所以须得在说明了礼房以后再回过来说了。诚房的子林外出，子贞早死，只剩下子传夫妇和他们的儿子鸣山，住在大堂前东边的一间大房里。西边的两间和兰花间出租给李楚材，在子传死后，鸣山要结婚的时候，才收了回来，由子传太太和儿子媳妇分住，东屋就让给了五十，所以我们所有的五十的印象是与那间大房分不开的。

五十也吃鸦片烟，因此很瘦，夏天光着脊梁，辫子盘在头上，肋骨一根根的显露出来，像是腊鸭一样，可是面色并不如四七那么样的青白，穿着一条绸裤子，用长柄的竹锹搅着在铜锅里熬着的烟膏，在煮好了的时候，一锹（读如跷）一锹的装进白磁圆缸里去，看他那细腻精致的作风，愉快满足的神气，简直是一个艺术家的样子。那寄主家里的鸣山虽是独养子，年纪也比他青得多，舒服还比不上他，若是拿去与四七相比，那更有云泥之差，但是四七却只怨恨六四，对于五十不曾有一句不平的话，这在五十更是极不易得的幸运了。

五十平常无论对什么人都是笑嘻嘻的，就是对于年幼的弟侄辈也无不如此，你同他说话，不管是什么他总表示赞同，连说“是呀是呀”，这在地方俗语里说作“是咭是咭”，是字读如什藹切，又急迫接连的说，所以音变如绍兴音的“孩业”，小孩们遂给他起诨名曰“孩业”，意思即以表明他拍马屁的工夫。因为这个缘故，大家对于他的一般的印象都很好，多和他去接交，结果不免受到他的若干损害。《朝华夕拾》中说小孩打旋子，衍太太鼓励他多做，乃至摔倒受伤了，她又说风凉话，“这是旋不得的”，这是一例。还有重要的是探听消息，制造谣言，向爱听的人散布，引起纠纷，听了觉得高兴。介孚公一面骂五十聊荡不务正业，但是他或他们的话却是爱听的，虽然介孚公去世后已无所施其技，但在五十死时，祖母无意中念一句阿弥陀佛，也可见他影响之多么深远了。

六九　诚房之馀

诚房里大房子林，通称林大老爷，据说是颇有心计的人，但是我没有见到他过，只是听人说罢了。他有一子凤桐，字桐生，生于光绪丁丑（一八七七）年，在这以后不久子林太太去世，他将儿子送往岳家代为抚养，自己便飘然往河南去找在那里做官的亲戚去了。以后回家来过一趟，又复出去，不再回来，就客死在外边，关于他的故事因此没有什么可说。只听老辈传说，他回来的那一次曾带了一个人同来，这是亲戚家子弟而生长在外边的呢，还是不相干的河南人，那也弄不清楚了，总之这人颇有点钱而似乎不大聪明，听了他的骗来到绍兴，大概算是来游览的吧。关于这人留下二三传说，可以作为上边评语的佐证。其一是说到了东郭门外，看见渡东桥下一片河水，大声惊叹道："渡东桥是海罗！"其二是见了萧山的红皮甘蔗，非常赏识，每回买一苗篮，挂在脖颈下，一口气吃完。这位游览客不晓得在绍兴耽搁了几多天，末了银子用完了，只好回河南去，子林也就一同走了。这一节故事，只是由他所导演，还不是他自己的事情，以他这么一个能人却不曾留下一个故事，这实在是可惜的。

他的儿子桐生养在外婆家的时候，记得有一次曾回家来拜年，假如这是在癸巳年，那么他该是十七岁了，却还是由一个老妈子带领，显得有点迟钝，虽然衣冠楚楚，也穿得很整齐的。据人说子林太太有点精神不足，桐生生产便是落在马桶里的，因此又或迷信他的晦气所以很大，但是其一半原因也或出于后天，小时候什么教育都没有受，可能有很大的关系。不多几年他的外婆去世，舅父们不肯再管，就打发他归宗，这办法不能说不对，但他的厄运自此开始了。子传太太什么都不肯管，那是可以料到的，那么叫他到哪里去，怎么办呢？这一节不知怎的完全弄不清楚了，也不记得是哪一年，所有的印象只是住在门房里的身外无长物的一个人，名称还是被大家叫作桐少爷，但是其生活已远在“自手至口”雇工人之下了。

七〇　桐生

桐生是败落大家子弟的另一派，与五十、四七等截然不同，在他的生活上没有什么谜，他简直的是没有法子生活。起初有一个时期在药铺里当伙计，那是义房的仲翔、伯㧑等人替他弄到的职业。药铺名叫泰山堂，开在东昌坊口的西南角，店主人名申屠泉，本是看风水的，有了一点钱就开了药铺，他的拜年名片上写这个姓名，地方上只知道他是申屠，更知名的是诨号“矮癞胡”。他的特征是矮，胡只是有普通的胡须而已，癞则是秃发，并非腊梨头，这诨号三字相连，大抵只要有一二特征，这名称就应用得上，所以在广思堂里也有这名称的塾师，那或者只可以说是副牌吧。

桐生这药铺伙计也不知道他是怎么当的，他不认识什么字，更不必说那些名医龙蛇飞舞的大笔了，他替人家“撮药”不会弄错么？我们小时候买玉竹来当点心吃，到泰山堂去买，桐生倒也不曾拿错过，却是因为本家的缘故，往往要多给些，这在他是好意，不过我们也要担心，假如药方里有麻黄，他也照样的多给了，那岂不糟么？话虽如此，他在药铺里倒并不曾弄出什么麻烦来过，只是药铺自身出了问题，所以他不能不连带的歇业了。申屠在家里忽然被外边抛进来的一块砖头打破了脑袋，主人死了，那个小店自然也就只好关门了。

他的别的职业是行商。仲翔给他募集一点钱，买了一套卖麻花烧饼的家伙，又替他向东昌坊口西北角的麻花摊担保，每天付给若干货色，至晚清算，如有短欠，由保人归还。祠堂里饮胙有坐位的长辈之中，有一个便是卖麻花烧饼的，所以这种行业虽小，却也是有名誉的。桐生卖了几时，倒也规规矩矩的，但是他有一个小毛病，便是爱喝老酒，做卖买得来的利润只够糊口，有时喉咙太干了，他就只好将付麻花摊的钱挪去给了酒家，结果要保人赔一天的钱，有时还把竹篮也卖掉了。这种事情有过二三次之后，大家觉得不是办法，只好中止，但是想不出别的方法来，于是他的行商也便因之停止了。

七一　桐生二

桐生住在大书房里不知始于何时，但是这里所说的一件事发生于他住在那里的时候，那总是确实的。他失掉了生活的道路以后的方法大抵是高卧。有一回大概是卖掉了竹篮之后，有好几天不曾出现，仲翔怕他饿下去不行，拿了些馒头之类到大书房去，对他说道："桐店王（店王本是店主的意思，后来变为一般通称，店伙则称店官，似乎原来封建气很重的样子），起来吃点东西吧。"他却仍高卧不起，只说道："搁下在那里吧，你怕我会得饿死么？"仲翔出来传述此事，他觉得桐店王的这股硬气倒是很有意思的。可是他有时候也很懂得情理，并非一味胡来。他没有四七、五十的谋生的手段，时常要挨饿，等到饥渴难忍的时候，他也只好出来向人借钱，一角两角钱可以过得一天了。但是他的渴比饥还要紧，所以往往借来的钱都喝了酒，肚子还是让他饿着。有一次他向鲁老太太借钱，鲁老太太对他说道：“钱可以借给你两角，但是你要拿去吃饭，不可买酒喝。”他正色道：“宜嫂嫂给我的钱，我决不买酒吃。”他说了果然做到，看他量了一升米，买柴买菜，回去准备煮饭去了。

桐生的智力短缺，照现代的说法大概可以说是属于低能的，但是有时说话也颇中肯，特别是对于他的父亲的。关于自己的不幸的生活他只怨恨父亲，说他养儿子像是生蛆虫似的，生下就不管了。他还有一样好处，便是决不偷窃。他的笑话只有一件，那就是《阿Q正传》第四章《恋爱的悲剧》所记的事，他在义房的厨房里对老妈子跪下道：“你给我做老婆吧。”结果如《正传》所说：“蓬的一声，头上着了很粗的一下，他急忙回转身去，那秀才便拿了一支大竹杠站在他面前。”《正传》里说是被打的是阿Q，实际上却是他的事情，又拿竹杠的实在是伯文，乃是文童而非秀才，小说中说文童便没有什么意思了。

七二　月如与日如

在四七死后，大书房里增加了不少的住民。最早的要算是礼房的利宾夫妇，他们于父母去世后将原住房给了仲翔，自己带领了子女搬到外边来了。随后来的是中房慰农的两个儿子，寿恒字月如，小名泰，寿升字日如，小名升，他们和利宾都是周氏十四世，在那辈里是年长者，月如居首，利宾第二，日如比鲁迅稍小，但也不出前五名吧。

中房第十二世有名叫春农的，有三个儿子，叫作念农慰农忆农。慰农一派单独留住在老台门里，到他夫妇去世之后，下一代的人便放弃了老屋，也并到新台门来，这大概是大家没落的照例的初步。慰农人颇精明，但也是赋闲在家，与伯宜公很谈得来，族中有婚丧等事，常被委托照料，慰农总管，伯宜公则动文笔，曾见过他给“孝子”代做的一两篇祭文草稿，可惜现在都已散失了。有一年忆农结婚，请他们陪“亲送舅爷”，看看花烛时刻将到，两人还是在吃酒谈天，并无准备着衣帽陪客的意思，新郎发急去催促，说婚姻大事，岂可迟误，他们听说回答道：“你尽管大事，于我们何干。”反而更是悠然的吃起酒来了。结果是忆农说了好些好话，才哄得两人放下酒杯，去换衣服。这一件事附属于伯宜公轶事之部，曾听鲁老太太说过，所以流传下来的。

慰农平时为人精干，也稍严刻，但很有些例外。每逢祖先忌日，本家都聚集与祭，他目光炯炯的坐在厅上，看见小辈有不到的，便要问连元或是阿张为什么不来。仲翔不平，反问道：“阿泰来了么？”他没法只得答说：“他是在阳家弄。”慰农太太姓孙，原是阳家弄的大族。他又极喜打牌，那时还没有马将牌，只有一种大湖，就是上海称为挖花的。他的工夫不差，但打牌多输，他并不计较，因为他所喜欢的是打牌，目的并不在钱上边。有一回他照例的输，可是忽然看见桌上发出来的牌中间有了六张“白拳头”，即是普通骨牌中的幺五，这显然是有弊了，因为白牌是只有四张的，可是他并不发怒，只说不再玩了，这一副有弊的牌的输赢他还是照算的。

七三　兰星

中房的人移住到新台门来的，还有一个桂轩四太太。这一派的第十一世号叫一斋，是一个举人，《越缦堂日记》中提起他过，说他同介孚公要想把章实斋《文史通义》的板本铲去文字，重刻时文云云，其实这是错误的。一斋大抵不免是个“劣绅”，但他对于书籍也还有点理解，他曾将茹三樵的《越言释》缩刻为巾箱本，《啸园丛书》本即是依据这个重刊的，《文史通义》也由介孚公和他找到木板，送给浙江官书局，修补印行，见于《谭复堂日记》中。第十二世号揆初，曾重修本族的家谱，他的儿子就是桂轩，早已去世，留下一子寿颐，小名兰星，曾在三味书屋读书，鲁迅最初得到《花镜》，便是以二百钱代价问他买来的。介孚公去世，潘姨太太不久逸去，房屋空了出来，西偏吴送妈妈为首所典的一部分也早已期满，乃一并租给了桂轩太太，不过经常只是她一个人居住，因为兰星是给和记管事，住在那里不回来的。

周氏致、中两房都有相当支派，唯独和房一脉相传，因此资产集中，最为富有，因为曾经营商业，所以那一房特别称为“和记”，相仍不改。到了第十世没有儿子，便向大房即致房下的智房要了一个继承下去，那即是苓年公的幼弟，通称“十五老太爷”。他一直活到己亥年，但因失明终年不出眠床来，也就没有见过他的面。第十二世号星曹，小名咸，本家恨他吝刻，绰号为“海沙”，实在只是盐的别名而已。第十三世小名瑜，早卒，有一子一女，子名培生，也早卒，有遗腹子为第十五世了，女大概尚在，名从略。照上边所记系统说来，如以第十四世为本位，则和记与智房的人比较相近，但也是同高祖，若是别房的人乃是同第八世祖，比高祖还要远两代，在《尔雅·释亲》中已经没有名称了。不久四太太来诉说，他的儿子不好，与那姑娘发生恋爱，于是本家中议论纷然，拜忌日时兰星也不便出来了。对于那些伪道学的长辈，鲁迅却非常厌恶，他虽不明白说出，遇见兰星便特别亲切接待，这种无言的声援的确也有不少力量，但那已是宣统年间事，距离庚子已经颇远了。

七四　阿有与阿桂

外姓人家住在新台门里的也有好几家，今均从略，只挑取在鲁迅小说中有得说及的一二件事来说一下。

其一是阿有。他姓谢，是有名的阿 Q 的老兄，他以给人家舂米为业，因此认得他的人很多，老太太多称之为有老官，算是一种尊称。乡下常说这个人曰葛老官，潘姨太太初到绍兴，听人家说话里常有这句话，心里很怀疑，为什么老是谈论乌鸦的呢，因为这和“老鸹”的发音的确相差无几。他的妻已死，只留下一个女儿，很是能干，就替他管理家务，井井有条。他们住在大书房里，不知是在哪一角落，大概总是朝北的这一排屋内吧。他给人家做短工，因为舂米费力，可以多得一点工钱，反正也多不到哪里去，但比起他兄弟来总好得不少了。阿桂本来也是做短工的，可是他不能吃苦，时常改卖旧货，有的受了败落人家的委托，有的就不大靠得住，这样就渐渐的降入下流，变成半工半偷的生活了。有时跑到哥哥那里来借钱，说近来生意不顺手，这便是说偷不到，阿有怒喝道：“你这什么话？我要高声说给人家听了。”阿桂于是张皇的从大书房逃了出去，其实这问答的话大书房的人都已听见，已不是什么秘密了。

小说《在酒楼上》的主人公吕纬甫叙述奉母亲之命，买两朵剪绒花去送给旧日东邻船户长富的女儿顺姑，等到找着了的时候，才知道她已病故了。这长富就是阿有，顺姑的伯父偷鸡贼长庚自然是阿桂了，不过阿有的女儿的病不是肺病，乃是伤寒初愈，不小心吃了石花，以致肠出血而死。小说里说长庚去硬借钱，顺姑不给，长庚就冷笑说：“你不要骄气，你的男人比我还不如呢。”这也是事实，虽然并没有发生什么影响，因为他的未婚夫是个小店伙，本来彼此都是知道的，无论如何总不会得比不上阿桂的。剪绒花一节当然是小说的虚构，顺姑也不是本名。阿桂的事情出现于辛亥前后这两三年中，他们弟兄到民国八年还健在，以后的消息不知道了。

七五　单妈妈

其二是单妈妈。她前夫姓单，带着一个儿子名单阿和，年纪很小的养媳妇名阿运，住在大门内东首的一间门房内。但她虽是寡妇，却不是独身，因为她还有一个同居的男人，名叫阿绪，不知道是姓什么。他的职业是轿夫，平时固然也给人家抬轿，但他的专职是二府衙门的轿班，二府即是同知，衙门在南街，与东昌坊口相去不远。听说轿班是没有钱的，因为这算是人民给官服役，但是又须得出一笔钱才能得到这差使，仿佛叫作买轿杠的钱。人民去服役，还要用钱去捐，这事似乎离奇得很，实在却是很有理由的。轿班去给官骑在头上，可是他自己也就可以去骑在人民的头上，这岂不是一种权利么。轿班按时可以从市上摊贩收取例规钱，假如不给就要受到报复，据说最普通的一例是抬着官的轿子故意绕到那里，一脚踢掉那摊子，不但毁了一摊的货色，还要问他几乎撞倒官轿的罪。阿绪平常看见总是笑嘻嘻的，但是他当然也是在搞那一套，因为否则他天天喝老酒，也吃点鱼肉，那里来的呢。阿和大概也是以抬轿为生，不过是否是什么官府的轿班那就不清楚了。他们两人的关系很是微妙，好的时候像朋友似的一起谈笑吃喝，有时怒目相向，不但互骂，而且有动手之势，单妈妈在背后着急，想制止阿和，连呼“爹咭爹咭”，但了无用处，这时只有别的男子介入中间，硬把他们拉开，才能了事。阿绪与阿和都是颇为强壮的人，但是不知怎的在没有几年（说不定也有十年八年）之间相继病故，单妈妈和阿运在门房住了些时之后，搬到不知什么地方去了。

单妈妈的轶事今悉从略，只说小说《祝福》中祥林嫂问再嫁的女人死后是否要用锯解，这话的出典即是从她来的，她曾对鲁老太太诉说生平，幽幽的说道：“说是在阴司间里还要去用锯解作两爿的呢。”她关于这一类稀奇的事情一定知道得很多，我们只可惜没有机会听到她说，所以此刻也就不能多记了。《祝福》中捐门槛之说，或者可能也是她所说的，但是精通这种学问的女太太们很多，没有确证，不能断定一定是她。

七六　四百年前

百草园里的人物差不多都简略的讲到了，现在综结一下，上溯一点上去，谈一谈先代的事情。

会稽姓周的大族很不少，但和我们都是同姓不宗。他们家谱上的世系从南北宋列记下来，有的可以上达汉唐，有五六十代之多，我们的便不行，从始迁祖算起到我们这一辈才有十四代，以三十年一代计算，只有四百年的历史。实际上这也是对的，据说第一世逸斋公移至绍兴城内居住是在明正德年间，我们从正德元年（一五〇六）算起，至清末刚是四百年。一般家谱的办法，始迁虽是晚近或微末，却可以去别找一个阔的始祖来，最普通的是拉住那做过《爱莲说》的周茂叔，喜欢往上爬的还可以硬说是周公之后，大家弄惯了也不以为可笑，但是我们的家谱上不曾采用此法，干脆的说逸斋公以前不可考。其实逸斋公虽有其人，却也不大可考了，不但他从什么地方移来，是什么样的人，都无从知悉，便是名字也已失传，总之他带了两个儿子进城住下是事实，儿子长名寿一，次名寿二，以后世系完全存在，老太爷没有名字不好叫，后来修谱的人便送他这一个笔名，逸斋者言逸其名也。朱洪武做了皇帝，臣下替他出主意，叫他认道学正宗朱文公做祖宗，他不答应，洪武做皇帝后很有些无道的行为，但是他这一种老实的态度总是可以佩服的。

据我们推测，逸斋公的一家当初或者是务农的，但在他搬进城来的时候一定也已由农转而为商了，工也未始不可以，不过那更是空虚的揣测罢了。由农转商，生活大概渐见宽裕，又因为在城市里的便利，子弟可以进私塾，读书以至赶考，运气来时便又可由商工而进入士大夫队里去了。寿一寿二以后隔了三世，第六世韫山公以举人出现，这是一个转变，他的一个儿子乐庵公分到覆盆桥老屋来住，下一代寅宾公生有三个儿子，分为致中和三房，如上边所叙述。这三台门的组织维持了有百十年，在我们懂得人事的时候觉得渐已败落，看着它差不多与清朝同时终于“解纽”了。

七七　台门的败落

乡下所谓台门意思是说邸第，是士大夫阶级的住宅，与一般里弄的房屋不同，因此这里边的人，无论贫富老少，称为台门货，也与普通人有点不同。在家景好的时候可以坐食，及至中落无法谋生，只有走向没落的一路。根据他们的传统，台门货的出路是这几条，其原有资产，可以做地主，或开当铺钱店的，当然不在此限。其一是科举，中了举人进士，升官发财，或居乡当绅士。其二是学幕，考试不利，或秀才以上不能进取，改学师爷，称为佐治。其三是学生意，这也限于当铺钱店，若绸缎布店以次便不屑干了。可是第一第二都要多少凭自己的才力，若是书读得不通，或是知识短缺，也就难以成功，至于第三类也须要有力的后援，而且失业后不易再得，特别是当铺的伙计，普通尊称为朝奉，诨名则云夜壶镴，因为它不能改制别的器皿也。照这样情形，低不就，高不凑，结果只是坐吃山空，显出那些不可思议的生活法，末了台门分散，混入人丛中不可再见了。论他们的质地，即使不能归田，很可能做个灵巧的工人，或是平常的店伙，可是懒得做或不屑做，这是台门的积习害了他们，上文所说的好多人情形不一样，但其为台门悲剧的人物，原是根本相同的。

介孚公所写的《恒训》中有一节云，兄弟三人，长为官，次开大店铺，大概是绸缎店之类，三只开一爿豆腐作。后长次二家官败店关，后人无所依赖，被招至豆腐店工作，始得成立。《恒训》语多陈旧，现今看起来已过了时，但是这一节对于台门货的箴言，却是真实可取，这里可以抄来做个有诗为证的。

七八 祭祀值年

无名的《鲁迅的家世》中第三节云：

> 会稽周家是一个大家族，大家族的维持依靠一种经济的关系。各房的祖宗常留有田产，叫做祭田，由派下的各房轮流收租，轮流办理上坟祭扫及做忌辰等事情。比方覆盆房公共的祖宗忌日这一天，由值年的叫工人向各房邀请拜忌辰，各房派下的男女老幼都须去拜忌辰，男女大约各有数十人。

这种祭祀值年的办法大概乡下一般多有，情形大同小异，现在只就周家来说一下。

承办一代祖先的一年间的祭祀，需要相当的费用，指定若干田地或房屋为祭田祭产，使值年的人先期收取，以便应用，大抵可以有些赢馀作为酬劳，一年应办的事从年底算起，是除夕悬神像设祭，新年供养十八日，再设祭落像拜坟岁，这与三月上坟，十月送寒衣，系三次的墓祭，冬夏两至及七月半，以及忌日。忌日的日数不一定，普通自然是祖先两位生忌讳忌各二日，但也有续娶的便要加算。祠祭及三月上坟均用三献礼，此外只用普通拜法，此因乡风各别，多有异同，今就本族所行礼式略记于此。祭时家长先上香，依次行礼四跪四拜，拜毕焚纸钱，再各一跪四拜，家长奠酒，一揖，灭烛，再一揖，撤香礼毕。三献时人多，不能与祭者于献后分排行礼，四跪四拜毕即继以一跪四拜，中间不再间断。此种拜法不知始于何时，后半似近于明朝的四拜，四跪四拜礼数繁重，似属可省。乡下定例妇女只拜一次，大概还是肃拜的格式，男子的所谓拜则是叩首兼作揖，其一跪三叩首的拜法称为官拜，唯吊丧时用之。

七九　做忌日

在以前旧家族里做忌日是一个很重要的节目。据《越缦堂日记》中所记，很有斋戒沐浴的神气，虽然或者是笔下装模作样，但乡风各别，异同可能很多，因此琐屑记录下来，也是民俗调查研究的一部分资料。现在只就值年的做忌日来说一下。

普通说是忌日，分开来说时有生忌讳忌两种。祭祀形式完全相同，不过生忌的所供果品中在水果三品之外有面和馒首各一盘，讳忌则只有馒首没有面。家常祭祀只用香炉蜡烛台，值年公堂忌日改用五事，即是于香炉蜡烛台的两旁加上一对锡制方形瓶状的东西，本是插花用的，虽然总是空着。香花灯烛的说法恐怕是出自佛教，大概最初在寺院里开始使用，随后引用到家庭里来的吧，可是香烛照常焚点，花却省去了，于是那两个锡瓶就成为无用的长物，平常也随减五事为三事了。祭具是五事，前面挂红桌帏，小型三牲，即鸡一只，肉一方，鱼一尾，大抵用白鲞，水果面食，祭菜十碗，酒饭筷子依照所祭祀的人数。在冬夏至，根据冬至馄饨夏至面的成例，另添这一种食品，中元添加西瓜，与祭的人也得分享，有时候歉收瓜贵，非得供应不可，在值年人是一笔额外沉重的支出。

主办的人是做忌日，与祭者则是拜忌日。拜的情形上文略有说明，这里只补说一点蜡烛与拜的关系。蜡烛点上，算是祖先在享受祭祀了，及至拜毕，纸钱焚化毕，奠酒毕，乃灭一烛，向上一揖，告诉祖先这祭祀已毕，再灭烛一揖送别，便动手撤馔，有的更殷勤的把坐位移动一下，让祖先可以出来，但似乎不是一定的规矩。拜忌日时男左女右分立两面，男子有功名的着外套大帽，馀人可用便服，但以长衣为限，妇女均须着有“挽袖”的女外套，头上戴“头笄”，这是民间的礼服，与满清的典礼截不相同的，室女则便服，也不系裙。行礼时男子居先，同辈中叙齿，妇女同辈中室女居先，妯娌辈不论年岁，以其夫的次序为准，此正出于三从的礼法，称呼上叫丈夫的兄弟姊妹为伯叔诸姑，则又是低降了一辈了。

八〇　忌日酒

《越谚》卷中《饮食部》下有云：

> 会酒，祀神散胙。忌日酒，祭祖散胙。上坟酒，扫墓散胙。三者皆筵席而以酒名。

这种筵席都是所谓“十碗头”。《越谚》注云：

> 并无盘碟，每席皆然，唯迎娶请亲送者有小碗盘碟，近二十年来亦加丰。

这如名字所示，用十大碗，《越谚》中“六荤四素”注云：

> 此荤素两全之席，总以十碗头为一席，吉事用全荤，忏事用全素，此席用之祭扫为多，以妇女多持斋也。

做忌日时与祭者例得饮胙，便吃这十碗头的忌日酒，丰俭不一定，须看这一代祭祀的祭产多少如何，例如三台门共同的七八世祖的致公祭，忌日酒每桌定价六百文，致房的九世祖佩公祭则八百文一桌，菜的内容很有些不同。十碗头的第一碗照例是三鲜什锦，主要成分是肉丸、鱼圆、海参，都是大个大片，外加笋片蛋糕片，粉条垫底，若是八百文的酒席改用细什锦，那些东西都是小块，没有垫底，加团粉烩成羹状，一称蝴蝶参，不知道是什么意义。其次是扣肉，黄花菜芋艿丝垫底，好的改用反扣，或是粉蒸肉，也一样的用白切肉，不过精粗稍有差别罢了。鱼用煎鱼或醋溜鱼，鸡用扣鸡或白鸡，此外有烩金钩以及别的什么荤菜，却记不完全了。素菜方面有用豆腐皮做的素鸡，香菇剪成长条做羹名白素鳝，千张（百叶）内卷入笋干丝香菇等物名曰素蛏子，以及炖豆腐，味道都不在荤菜之下。夏天还有一种甜菜，系用绿豆粉加糖，煮好冻结切块，略如石花，颜色微碧，名曰梅糕，小孩最所爱吃，有时改用一碗糖醋拌藕片，夏至则一定用蒲丝饼，系以瓠子切丝瀹熟，和面粉做成圆片油炟，也是一样好吃的甜菜，虽然不及家庭自制的更是甜美。

吃忌日酒原是法定八人一桌，用的是八仙桌，四边各坐两个人，但是因为与祭的人数不齐，所以大抵也只是坐六人或七人而已。一桌照章是一壶酒，至多一斤吧，大家分喝只少不多，吃了各散，但在女桌便大为热闹了，她们难得聚会一处，喝了酒多少有醉意，谈话便愈多也愈响，又要等待同来的妈妈们吃饭，所以在大厅上男桌早已撤去之后，大堂前的女太太们总还是坐着高谈阔论哩。

八一　风俗异同

乡下墓祭一年间共有三次。这种风俗在中国虽是大同，却多有小异，现在且来简单的说一下子。据顾铁卿的《清嘉录》卷一云："上年坟，携糖茶果盒展墓，谓之上年坟。"注引钱塘黄书崖诗，案语云："盖杭俗上年坟多以肴馔楮镪，吴俗则糖茶果盒而已。"又卷三云：

> 上坟，士庶并祭祖先坟墓，谓之上坟，以清明前一日至立夏日止，道远则泛舟具馔以往，近则提壶担盒而出，挑新土，烧楮钱，祭山神，奠坟邻，皆向来之旧俗也。凡新娶归，必挈以同行，谓之上花坟。

注中引《程氏遗书》，谓"拜坟十一月拜之，感霜露也，寒食则从常礼祭之"，但卷十一中无此一项，可见吴中没有这种风俗。范啸风《越谚》卷中《风俗部》下列有三项，其一云："拜坟岁，上元之前，儿孙数人，香烛纸锭谒墓。”其二云：“上坟，即扫墓也，清明前后，大备船筵鼓乐，男女儿孙尽室赴墓，近宗晚眷助祭罗拜，称谓上坟市。”其三云：“送寒衣，十月祭墓之名，亦数人而已。”

这里会稽的送寒衣为吴中所无，虽然与宋朝河南的风俗倒是相近的，拜坟岁又跳过了杭州而与苏州相同，假如广泛的调查比较起来，这倒也是很有意思的事。

就百草园的旧例来说，拜坟岁的办法倒是与黄书崖所说相合的，关于上坟可以说大旨都是一致，但是异同也仍不能免。例如同是住于东陶坊的人家，在百草园西边的梁家和迤东河南岸的寿家即三味书屋，他们扫墓的仪式便截不相像，两者都出于顾范的记录之外。百草园的近邻有一个名叫四十的，以摇船为生，他有一两只中船小船，屡次送梁家寿家去上坟，据他所说梁家仪式繁重，上午早到坟头，从献面盆手巾，茶碗烟袋起，演到吃中饭，要花上小半天工夫，寿家则用小船，父子二人祭毕下舟，怀中各出烧饼两个，吃了当饭，虽然没有说明，大概只备香烛纸锭，并无什么食品的。这固然是极端的例，但凑巧都在会稽的同一个街坊内，正是难得，至于周家那是极平常的一般的办法，与顾范二家所记大抵相同，或者可以说是最没有特色的一种吧。

八二　扫墓

周家墓祭的规矩，拜坟岁和送寒衣都只有男子前去，佩公祭祖坟乌石头一处，致公祭祖坟调马场龙君庄两处，用船三四只不等。船在城内某一处会齐，由值年房分给每船茶炊一把，各人泡茶一碗，点心一桌，大抵是瓜子、花生、福禄糕、糖馒头之类，菜一桌及柴米等。坟前行礼毕，回船散胙，与做忌日时差不多相同，但因为是在冬天，所以三鲜什锦改用火锅而已。

清明上坟，规模就要大得多了，不但是妇女同去，还因为要举行三献礼，有些旧排场，所以于男女座船、火食船、厨司船之外，还有一只吹手船，多的时候一总可以有十只以上。关于扫墓成规，在平步青所编的《平氏值年祭簿》上记得很是详明，现在可以借用一下，其中记往娄公去的一项云：

座船两只，今改大三道船一只，酒饭船一

只，吹手船一只，吹手四名。向例每只约船钱银三钱几分不等，临时给船米七升五合，酒十五吊，鱼二尾，鸡蛋二个，折午饭九四钱百文，点心等俱无，后改一切俱包，回城上岸时每只给掸舱酒一升壶。

祀后土神祭品，肉一方，刀盐一盘，腐一盘，太锭一副，烧纸一块，上香，门宵烛一对，酒一壶，祝文。

墓前供菜十大碗，八荤两素，内用特鸡。三牲一副，鹅、鱼、肉。水果三色，百子小首一盘，坟饼一盘，汤饭杯筷均六副。上香，门宵烛一对，横溪纸一块，大库锭六百足，祝文。酒一壶，献杯三只。

在船子孙每房二人。值年房备茶，半路各给双料荤首两个，白糖双酥烧饼两个，粉汤一碗，近改用面。散胙六桌，八荤两素，自同治二年起减为两桌。每桌酒几壶不等，酱油醋各二碟。小桌二桌，三炉十碗。吹手水手半路各给小首两个，烧饼两个，粉汤一碗，近年改用面一中碗。管坟人给九四钱二百文，酒一升壶。

平氏虽属山阴，上记成规，却与会稽的周氏大抵一致，所以不妨借来应用，只有极小的地方略有不同，如祀后土及祭祖时普通用双响炮仗五个十个，这倒颇合于驱逐山魈的原意，平氏祭簿上没有，大概是特别的一种家风吧。

八三　祝文

《平氏祭簿》所记上坟用三牲为鹅、鱼、肉，这里值得注意是有鹅而不是鸡，普通祭祀总是用特鸡的。乡下风俗上坟时必须用熏鹅，不知道是什么道理，这据《越谚》上说是斗门市名物，但别处也都能做，其实与北京的烤鸭子差不多，只是鹅不能像鸭那么养得肥，所以皮虽然也香脆，吃的还是那肉，用酱油醋蘸了吃，实在是很香甜的。《祭簿》上又有祝文，祭后土即山神的和祭祖先的各一篇，上边录有全文，是很好的例子。其一云：

> 维年月日，信士平某敢昭告于某地后土尊神之位前曰，惟神正直聪明，职司此土。今某等躬修岁事于几世祖考某某府君几世祖妣某氏太君之墓，惟时保佑，实赖神庥，敢以牲醴，用申虔告。尚飨。

其二云：

维年月日，考宗孙某等，谨以清酌庶羞之奠，致祭于几世祖考某某府君几世祖妣某氏太君之墓前曰，呜呼，岁序流易，节届清明，瞻拜封茔，不胜永慕。谨具牲醴，用申奠献。尚飨。

这两篇文都简要得体，祭祖先的一篇尤其朴质可取，而且通用于各地的祖坟，尤有意思。大抵祭祀原是仪式，须要庄重，因此仪文言动也有一定规律，乃得见其整肃，这祝文或祭文程式的一致，我想即其一端。庚子年日记三月初九日下，记“往梅里尖，为六世祖韫山公之墓，余与鸣山叔赞礼，祭文甚短，每首只十数句耳”，因此可知上代办法亦是如此，虽是一处单用，文句也还简单，不像后来的繁缛，如致祭佩祭所用的那么样，这些文章都已忘却了，只记得乌石头的祭文中有云，“山绕龙山，石蟠乌石”，声调响亮，文词华丽，却反失了诚实与庄严，不大合式了。

说到乌石头，令人联想到一件旧的悲剧来，鲁迅的小说《祝福》中说祥林嫂的小儿子在门口剥豆，给马熊拖去吃了，这实在乃是乌石头坟邻的女人的事情，她因此悲伤至于“眼睛哭瞎”了。大概鲁老太太曾经听见那女坟邻亲自对她讲过，所以印象很深，直到晚年提起来时还是为之惨然，近年我遇到在浙江大学教书的同乡，说抗战时住在山里，一个小孩为马熊所拖去，这更令我不能忘记，因为那比乌石头的事情又要迟五十年了。

八四　山头的花木

在旧时代里，上坟时节顶高兴的是女人，其次是小孩们。从前读书人家不准妇女外出，其唯一的机会是去上坟，固然是回娘家或拜忌日也可以出门，不过那只是走一趟路，不像上坟那样坐了山轿，到山林田野兜一个圈子，况且又正是三月初暖的天气，怎能不兴会飙举的呢？小孩们本来就喜欢玩耍，住在城市里的觉得乡下特别有趣，书房里关了两个月，盼望清明节的到来，其迫切之情是可以想像得来的。但他们的要求也只是游玩而已，乡下儿歌有云："正月灯，二月鹞，三月上坟船里看姣姣。"虽然说得很好，却是成人替他们做的，因为这不能说是儿童的本心。某处地方有俗谚云，"花不如团子"，我觉得可以接续一句云，"女人不如花"，这至少在上坟船里的小孩们是可以如此说的。

查阅旧日记，见上坟记事中多记花木事，这与我的记忆是相符合的。如己亥三月往调马场，拔得刺柏四株，杜鹃花三株，折牛郎花数枝而回。十月往乌石头，拔得老弗大二三十株，此系俗名，即平地木，以其不长大故名，高二三寸，叶如榛栗，子如天竹，鲜红可爱，至冬不雕，乌石极多，他处亦有之。庚子三月日记云：

正月中旬往调马场拜坟岁，杜鹃花不多见，虽枝叶甚繁，而作花者只寥寥一二株，余家一树自去年十一月起烂熳不绝，至二月杪始毕，而今又复蓓蕾盈枝，亦一奇也。

田野间无花木可采取，妇孺多去拔田里的草紫，此本系肥料，故农夫也不很可惜，小孩采花朵作球，红紫可观，大人取茎叶用腌菜卤煮，味略如豌豆苗。旧作《儿童生活诗》之八云：

牛郎虽好充鱼毒，草紫苗鲜作夕供，
最是儿童知采择，船头满载映山红。

注云：

牛郎花色黄，即羊踯躅，云羊食之中毒，或曰其根可以药鱼。草紫即紫云英，农夫多植以肥田，其嫩叶可瀹食。杜鹃花最多，遍山皆是，俗名映山红，小儿折取玩弄，或掇花瓣咀嚼之，有酸味可口。

八五　上坟船里

上坟这事中国各处都有，但坐船去的地方大概不多，我们乡下可以算是这种特别地方之一。因为是坐船去，不管道路远近，大抵来回要花好大半天的工夫，于是必要在船上喝茶吃饭，这事情就麻烦起来了。据张宗子在《陶庵梦忆》卷一上所说，明末的情形是如此的：

越俗扫墓，二十年前，中人之家尚用平水屋帻船，男女分两截坐，不座船，不鼓吹。后渐华靡，虽监门小户男女必用两座船，必巾，必鼓吹，必欢呼畅饮，下午必就其路之所近游庵堂寺院及士大夫家花园，酒徒沽醉必岸帻嚣嚎，唱无字曲，或舟中攘臂与侪列厮打。

在二百多年后的清末，情形也差不多，据过去的记忆，庵堂寺院并不游玩了，但吃上坟酒时大抵找一处宽适地方停泊，乌石头就在那山村河岸，龙君庄则到相距不远的百狮坟头去，《儿童生活诗》中有一首云：

扫墓归来日未迟，南门门外雨如丝，

烧鹅吃罢闲无事，绕遍坟头数百狮。

注云：“百狮坟头在南门外，扫墓时多就其地泊舟会饮，不知是谁家坟墓，石工壮丽，相传云共凿有百狮，但细数之亦才有五六十耳。”调马场因路远，下山即开船，所以只能一面摇着船，一面吃着酒了。

船里叫号打架的事情从来没有，大家倒都是彬彬有礼的。大概是光绪丙申的春天，在拜坟岁的船中椒生发议各诵唐人诗句中有花字的，那时在三味书屋读书，先生每晚给讲《古唐诗合解》，所以记得不少，陆续背出了许多。三月乌石头扫墓，日记上记有仲翔口占一绝云：

数声箫鼓夕阳斜，记取轻舟泛若耶，

双桨点波春水皱，清风送棹好归家。

数日后往龙君庄，伯㧑仲翔诸人共作《越城鄙夫扫墓竹枝词》，惜诗未记录。又有一回不记何年，中房芹侯在往调马场舟中，为鲁迅篆刻一印，文曰“只有梅花是知己”，石是不圆不方的自然形，文字排列也颇好，不知怎地钤印出来不大好看。这印是朱文的，此外还有一块白文方印，也是他所刻，文曰“绿杉野屋”，似乎刻的不差，这两颗印至今还保存着，足以作为这位多才多艺而不幸的廿八叔祖的纪念。

八六　祝福

祝福的名称因了祥林嫂的故事而流通于中国全国了，但是在年底有这祝福的风俗的地方可能很不少，至于通用这祝福的名称的恐怕就不很多了吧，《越谚》卷中《风俗部》下云“作福”，注云：“岁暮谢年祭神祖名此，开春致祭曰作春福。”乡下读祝字如竹，但这里特别读如作，不过这还是祝而不是作字，因为旧时婚礼于新夫妇拜堂时请老年人说几句吉语，如多福多寿多男子之类，亦称曰作寿，可以为证，至于为什么不称祝福而称祝寿，原因不明，或者由于与祭名重复，又或者那老人是代表南极仙翁的，所以着重在寿，也未可知。《清嘉录》卷十二有《过年》一项云：

择日悬神轴，供佛马，具牲醴糕果之属，以祭百神，神前开炉炽炭，俗呼圆炉炭，锣鼓敲动，街巷相闻，送神之时多放爆仗，谓之过年，云答一岁之安，亦名谢年。

注引《说文》云：“冬至后三戌为腊，腊祭百神。”这是很对的，与《越谚》注的谢年说亦相合，但乡下称为祝福，则于报谢之外又重在将来的祈求了。

依照百草园的旧例，这事也由值年者主办，因为事关合台门的六房，须得联合举行，所以规定每年一房轮值，职务是主持祝福，除夜接神，元旦送神，新正五天布施乞丐，到第六天就再也没有他的事了。大概在送灶之后，由值年房预先规定一天，通知各房，到那一天的午前托付工人砍取新竹筱，缚长竿上，掸扫大厅，那就是挂着“德寿堂”匾的地方，周氏旧称宁寿堂，什么时候改为德字虽不可知，总当在道光初年因为避讳之故吧。随后又取一两担水来，将地面冲洗干净，偏向檐口放上四张八仙桌，到了后半夜即是次日的时辰已到，各房把三牲鸡鹅肉加活鲤鱼搬来陈列了，香烛爆仗茶酒盐腐以及神马由值年房置备，各房男子齐集礼拜。照祭神的例，桌子须看木纹横摆，与祭祖相反，叫作横神直祖，拜时也与祭祖不同，却在神马后面向着外边行礼，只拜一遍，焚化元宝（这与太锭都只用于神祇，有金银两色，祭祖用的是银锭，用锡箔折成的名锞子），燃放爆仗，这祀典就算完成了。小孩参加的在家里可以吃到小碗鸡汤面，这是鼓励他半夜起来的东西，但这所谓小孩大抵也须得十多岁才行。

八七　分岁

除夕在乡下称为大年夜，亦称三十日夜，大人小孩都相当重视，不过大人要应付账目，重在经济方面，还是苦的分子为多，所以感觉高兴的也只有儿童罢了。这一天的行事大抵有三部分，一是拜像，二是辞岁，三是分岁。拜像是筹备最长，从下午起就要着手，依照世代尊卑，把先人的神像挂在墙上，前面放好桌子，杯筷香炉蜡烛台，系上桌帏，这是第一段落。其次是于点上蜡烛之后，先上供菜九碗，外加年糕粽子，斟酒盛饭，末后火锅吱吱叫着端了上来，放在中间，这是最后的信号，家主就拿起香来点着，开始上香，继以行礼了。这行礼只有一次，也不奠酒，因为祖先要留在家里，供奉十八天，所以不举行奉送的仪式。神像是依世代分别供奉的，所以桌数相当的多，假如值年祭祀也都在本台门内，那么一总算起来共有五桌，在伯宜公去世后又多添了一桌了。这还是说的直系，有时候对于诚房的两代也要招呼，则仆仆亟拜，虽是小孩不大怕疲劳，却也够受的了。这之后是辞岁，又是跪拜，而且这与拜年不同，似乎只限于小辈对尊长施礼，平辈的人大抵并不实行。压岁钱大概即是对于小辈辞岁的酬劳，但并不普遍，给的只是祖母和父母，最大的数目不过是板方大钱一百文而已。

分岁所用的饭菜与拜像用的祭菜一样，仍是十碗头，其中之一是火锅，称曰暖锅。暖锅里照例是三鲜什锦，此外特别的菜有鲞冻肉，碗面上一定搁上一个白鲞头，并无可吃的地方，却尊称之曰“有想头”，只看不吃，又有一碗煎鱼也是不吃的，称作“吃过有馀”。处州的蒜笋，米泔水久浸，油煎加酱醋煮，又藕切块，加白果红枣红糖煮熟，名为“藕脯”，却读若油脯，也是必要的，盖取“偶偶凑凑”之意云。最特殊的是年糕之外必配以粽子，义取“高中”，这种风俗为别府所无，说也奇怪，到了端午却并不吃粽子，这个道理我至今还不明白。粽子都是尖角的，有极细尖的称“尖脚粽”，又有一大一小或一大二小并裹在一起的叫作“抱儿粽”，儿读作倪，大抵纯用白米，不夹杂枣栗在内。

八八　祭书神

除夕夜里有些人家实行守岁，这是一种古风，也觉得有意思，但实行有困难，明日新年很有些事情，昏昏沉沉的怎么弄得来。小孩们在吃过年夜饭之后，大抵只在守岁的大红烛底下玩耍一会儿，等分到了压岁钱，便预备睡觉，到明朝一觉醒来，在枕上吃橘子，依照阿长的嘱咐说“恭喜恭喜”了。

旧日记从戊戌年写起，戊己两年的除夕没有什么特别记事，庚子年的稍详，文曰：

> 晴，下午接神，夜拜像，又向诸尊长辞岁，及毕疲甚。饭后祭书神长恩，豫才兄作文祝之，稿存后，又闲谈至十一点钟睡。

祭书神文如下：

> 上章困敦之岁，贾子祭诗之夕，会稽戛剑生等谨以寒泉冷毕，祀书神长恩，而缀之以俚词曰：

今之夕兮除夕，香焰䌷缊兮烛焰赤。

钱神醉兮钱奴忙，君独何为兮守残籍。

华筵开兮腊酒香，更点点兮夜长。

人喧呼兮入醉乡，谁荐君兮一觞。

绝交阿堵兮尚剩残书，把酒大呼兮君临我居。

缃旗兮芸舆，挈脉望兮驾蠹鱼。

寒泉兮菊菹，狂诵《离骚》兮为君娱。

君之来兮毋徐徐，君友漆妃兮管城侯。

向笔海而啸傲兮，倚文冢以淹留。

不妨导脉望而登仙兮，引蠹鱼之来游。

俗丁伧父兮为君仇，勿使履阈兮增君羞。

若弗听兮止以吴钩，示之《丘》《索》兮棘其喉。

令管城脱颖以出兮，使彼惙惙以心忧。宁召书癖兮来诗囚。

君为我守兮乐未休，他年芹茂而樨香兮，购异籍以相酬。

八九　茶水

这里详细叙述乡下的风俗，如婚丧及岁时仪节，不是我的本意，实在也在能力之外，因为有许多事体都已忘记，或是记不清了，家中现在又以我为最年老，此外没有人再可以请教，所以即使想要这样做，也是心有馀而力不足了。我所想做的只是把生活的细微的几点，以百草园的情形为标准，再记录一点下来，这第一件就是关于饮食的。

同是在一个城里或乡里，饮食的方式往往随人家而有差异，不必说是隔县了。即如兴房旧例，一面起早煮饭，一面也在烧水泡茶，所以在吃早饭之前就随便有茶水可吃，但是往安桥头鲁家去作客，就大不方便，因为那里早晨没有茶吃，大概是要煮了饭之后再来烧水的。在家里大茶几上放着一把大锡壶，棉套之外再加草囤，保护它的温度，早晚三次倒满了，另外冲一闷碗浓茶汁，自由的配合了来吃。夏天则又用大钵头满冲了青蒿或金银花汤，等凉了用碗舀，要吃多少是多少。平常用井水煮饭做菜，饮料则用的是天落水，经常在一两只七石缸里储蓄着，尘土倒不要紧，反正用明矾治过，但蚊子的幼虫（俗名水蛆）却是不免繁殖起来，虽然上面照例有两片半圆的木板盖着。话虽如此，茶水里边也永看不见有煮熟了的水蛆，这理由想起来也很简单，大抵打开板盖，把“水竹管”(用毛竹一节削去大部分外皮，斜刺的装一个柄，高可五寸，口径二寸馀的舀水竹筒）放进水里去的时候，咕咚一下那些水蛆都已乱翻跟斗的逃开了，要想舀它也不容易。向来习惯只吃绿茶，请客时当然也用龙井之类，平时只是吃的一种本山茶，多出于平水一带，由山里人自做，直接买卖，不是去向茶店买来的。绍兴越里的茶店都是徽州人开的，所卖大概都是徽杭的出品，店伙对客人说绍兴话，但他们自己说话便全用乡谈，别人一句都听不懂了。

九〇　饭菜

隔着一条钱塘江的杭州，每天早晨大都吃水泡饭，这事便大为绍兴的老百姓所看不起，因为他们自己是一天三顿煮饭吃的。每顿剩下来的冷饭，他们并不那么对付的吃了，却仍是放到锅（本地叫作镬）里同米一起煮，而且据说没有这个便煮不好饭，因为纯米煮成的饭是不“涨”的。因了三餐煮饭的关系，在做菜的方法上也发生了特别的情形，这便是偏重在蒸，方言叫作熯，这与用蒸笼去蒸的方法不同，只是在饭锅内搁在“饭架”上去，等到生米成为熟饭，它也一起的熟了。

普通的家常菜顶简单而又是顶重要的是干菜，腌菜，霉苋菜梗，其次是红霉豆腐与臭霉豆腐。干菜这里所说的是白菜干，外边通称为霉干菜，其实并没有什么霉，是整棵的晒干，吃时在饭上蒸过，一叶叶撕下来，就是那么咬了吃，老百姓往往托了一碗饭站着吃着，饭碗上蟠着一长条乌黑的干菜。此外有芥菜干，是切碎了再腌的，鲜时称备瓮（读作佩翁）菜，晒干了则名叫倒督菜，实在并不倒督，系装在缸甏里，因为它是怕潮湿的。腌菜也用白菜，普通都是切段蒸食，一缸可供一年的使用，生腌菜细切加麻油，是很好的粥菜，新的时候色如黄金，隔年过夏颜色发黑，叫作臭腌菜，又别有风味，但在外乡人恐怕不能领略，虽然他们也能吃得“臭豆腐”。苋菜梗据《越谚》卷中《饮食部》说，苋菜其梗如蔗，段之腌之，气臭味佳，最下饭。我的旧文章里也曾说及：

> 苋菜梗的制法，须俟其抽茎如人长，肌肉充实的时候，去叶取梗，切作寸许长短，用盐腌藏瓦坛中，候发酵即成，生熟皆可食。民间几乎家家皆制，每食必备，与干菜等为日用的副食物，苋菜梗卤中又可浸豆腐干，卤可蒸豆腐，味与柳豆腐相似，稍带苦涩，别有一种山野之趣。

这里的话并没有说错，但是遗漏了一点，便是腌苋菜梗要搁上些盐奶，所以它会得和柳豆腐相像，有点儿涩味。据《越谚》说，煎盐时卤漏篾缝，遇火成乳，研食味较鲜于盐云，这在柳豆腐中是不可缺的作料，但真的难得，或以竹箬包盐火烧制成，只是约略近似而已。

九一　蒸煮

饭锅上蒸了吃的菜里，最普通的是打鸭子和柳豆腐。这柳字是假借用的，也有人写作溜，但那是一种动作，读作上声，或者应当照柳字之例，于剔手旁写一个卯字，但是铅字里没有，所以不好使用。这豆腐的制法很简单，豆腐放在陶钵内（实在乃是缸钵，因为是用做缸的土质烧成的），用五六只竹筷捏在一起，用力圆转，这就叫作柳，柳得愈多愈好，随后加研细的盐奶，或者是融化的水，蒸熟即成。这里还有一层秘密，便是柳豆腐不贵新鲜，若是吃剩再蒸，经过两次蒸熯之后，它的味道就更厚实好吃，这对于寒俭的家庭是非常有利的。打鸭子即是北京的溜黄菜，有地方叫作鸡蛋糕，本地人却很听不惯，因为点心里有这一种名称，觉得容易相混。打与柳的意思相去不远，动作也相像，不同的地方在于柳的物质多少是半固体，鸡鸭蛋的内容差不多是液体，而且乡下人俭约，碗里还要掺大半的水，用筷子可以很爽利地打去，所以这就不叫做柳了。

此外的东西我们只好简要的一说。豆腐一项，可以加上切碎的干菜去蒸，又或芋艿切片别蒸，随后与蒸过的豆腐同拌加酱麻油，芋艿也可以拌千张（即百叶）或豆腐皮，不过芋艿千张都切了丝。说也奇怪，北方也有芋头，只是没有那么的粘滑，所以就不适用，想要仿做亦不可能。茄子茭白之类便整个的放在饭里，叫作焐，熟后用手撕片，浇上麻油酱油，吃起来味道特别好，与用刀切的迥不相同。荤菜也同样的蒸熯，白鲞或鳖鱼鲞切块，加上几个虾米（俗名开洋），加水一蒸，成为很好的一碗鲞汤。鲢鱼或胖头鱼的小块，用盐腌一晚，蒸了吃不比煎鱼为差。青虾用盐干烤固住，平常也就只放在碗内，用碟子盖住，防它跳出来，加酱油一蒸即好。大虾挤虾仁后与干菜少许，老笋头蒸汤，内中无甚可吃，可是汤却颇好，这种虾壳笋头汤大概在别处也是少见的。乡下常有老太太们吃素，但同一锅内蒸荤菜却并不犯忌，这不是没有注意到，大概因为这事牵涉家庭经济，没法改变，所以只好默认了吧。

九二　灯火

这里题目写的是灯火，但里边所包含的实在有发火与照明两个问题。在甲午前后，大概家里也已有火柴了，现今通称洋火，乡下则称自来火，第一字又或读为篦，意思是擦，可以解作擦一下有火出来吧。不过那只是用在内房里，若是厨房或是退堂后放着小风炉的地方，那还是用的打火的家伙，藤编的长形容器内放着火石，铁片，毛头纸的粗纸煤插在竹管内的，这都还清楚的记忆着。“开火”工作很不容易，如不熟练不但点不着纸煤，连火星也不大出来。乡下有一句谚语道，“一贼，二先生，三撑船，四老伻”，《越谚》注云：“此言火刀火石取火，快者一刀即着，二三四各分其人。”贼入事主家，假如点不着火，老是笃笃的用火刀敲着火石，未免要误事，这是容易了解的，教书先生为什么那么敏捷，他开火只要两刀，他的本领还超出“撑船人客”（妇孺们叫舟夫的名称）之上呢？这理由范啸风不曾说明，我也至今不得其解。老伻即是看门的人，伻读如上海的浜字，我想这或者是伯字之转也未可知，因为乡下对于帮工的人常用叔伯称呼，有如上文说及过的庆叔王甫叔。不过这类考据易涉牵强，所以这里只作为闲谈，随便说说罢了。

洋油灯自然也早有了吧，但据我的记忆所及，曾祖母不必说，祖母房里在辛丑年总还是点着香油灯的。这灯有好几种，顶普通的是用黄铜所制，主要部分是椅子背似的东西，头部宽阔，镂空凿花，稍下突出一个铜圈，上搁灯盏，底部是圆的铜盘，高可寸许，中置陶碗，承接灯盏下的滴油，以及灯花馀烬等。这名叫灯盏，又一种可以叫作灯台，大抵是锡做的，形如圆的烛台，不过顶上是一个小盘，搁着油盏而已。曾见过一个磁的灯台，承油盏的直柱只有二寸高，下面即是磁盘，别有一个圆罩，高七八寸，上部周围有长短直行空隙，顶上偏着开一孔，可以盖在灯上，使得灯光幽暗，只从空隙射出一点来，像是一堵花墙，这是彻夜不灭灯时所用，需要亮光时把罩当作台，上边搁上灯盏，高低也刚适合。这东西在曾祖母时已用着，至少也是百年前物了，现今假如还有这样古雅的器物，固然已经不适实用，但实在做得很好，值得保存在国家美术馆里的。

九三　灯火二

上边所说的灯是不能够移动的一类，此外还有一类可以移动，即是可以拿着走路的，也需要来说一下。这里面最重要的自然是灯笼，不过那是外出时才用，假如在大门内，即使有好一段路，大抵也不提灯笼而是用别的东西的。这可能是蜡烛台，其实和灯笼差不多，只是插蜡烛的方法不同，比起灯笼来要轻便得多，但也有一个缺点，即是风吹了要流泪，所以在那时候是不很合宜的。其次是油纸拈，俗称纸拈头，大抵利用包药材的药纸，酌量需要，搓成长短大小适中的纸拈，蘸上香油，点起火来，拿在手里即是很好的手灯。这点剩了一部分，可以放在灯盏下陶碗内，下次再用，但是中途不够了的时候便没有办法，能够补救这缺点的就是这其三的所谓水蜡烛了。名称是水蜡烛，实际仍是香油灯，用黄铜作壶，约容油二两，口作螺旋，孔中出棉线灯芯，壶下短柱与底台接连，壶与台之间装一把手，以便执持。这有油纸拈的便利，即是用香油点火，禁得起风吹，不会熄灭，油量充足，又无匮乏之虞，在那时候可以说是最实用的移动照明具了。我所说的只是根据自己的经验，不知道别人家是否如此，仔细回想起来，仿佛祖母房里便没有这种家伙，只有鲁老太太常在使用水蜡烛，也不记得本家的谁用过，难道这是安桥头来的系统么，这个问题现在却也无从弄得清楚了。

点用洋油灯最早的大概是伯宜公的房里，所用的洋灯也是国货，是用锡做的，略为扁圆的油壶上装着一螺旋，可以配上“龙头”，再加玻璃罩就可以点了。不过不知怎的，关于洋油灯的印象一直很是微弱，没有什么值得说的。大抵小时候睡得很早，后来的习惯也不在灯下做什么事情，无论用功或是游玩，所以对于灯缺少亲近的感觉，古人云，“青灯有味似儿时”，那是很幸福的经验，我却是没有。

九四　寒暑

绍兴是故乡，百草园是故居，在人情上不能没有什么留恋。但是这到底有什么好呢？那么具体的也说不出什么来。譬如说气候吧，这不能比别的地方好。冬天其实并不冷，这只要看河水不冰，有许多花木都可以在屋外过冬，有如梅花桂花，杜鹃山茶之类，这些在北京如不入花窖，也总须放到屋里去才能保存的，可以知道。但因为房屋构造的关系，门窗洞开，屋顶砖瓦缝中风雪可以进来，坐在屋里与在外边所差无几，只靠棉衣和暖炉的力量实在有点敌不过来。别的不说，手脚的冻瘃就不能免，我在民国初元乡居六年，后来住在北方经过三十多年之久，手上看不出了，脚跟上冻疮的痕迹至今还是存在，这是一个显明的例证。冬天睡在床上半夜里的冷醒，与夏天半夜里的热醒，都是极平常的事，不说也罢，单讲夏季的蚊子就很受不了，这不但非铁纱门所能防，恐怕“滴滴涕”也有点应付不过来。房间高大，几乎每一立方寸的空间都飞着蚊子，黄昏蚊市中行走，嘴不闭好固然有蚊子会得飞进几个去，就是不给它这机会，也要在眼睛鼻头上乱碰，这时间喷药水要几何才能有效呢？乡下的土法子是点“蚊烟药”，它的方法是日夜不断地放出一种烟幕，把目的物不管是人或眠床整个地包在里面，至于上下四旁任凭蚊子在空间活动，只要不能侵入烟幕里来就得。小时候的事情不算，就那六年的经验来说，正如冬天苦寒苦冻瘃一样，夏天便在苦蚊，终日钻在蚊烟里，熏得个不亦乐乎，结果还要时常被咬几口去，最初是搔和掐，搽唾沫，后来是涂阿摩尼亚水，虽然手脚上不留什么痕迹，也实在是很不愉快的事。可是在这种不讨人喜欢的气候中间，冬天的鲞冻肉与糟鸡等，夏天的笋与杨梅，真的石花，再迟下去是大菱，却都是好的，都值得记忆。因此我们或者可以说，关于故乡的回忆大抵以风俗与物产为主，地方名胜在其次，至于天时自然是最少关系的了。

九五　园的最后

百草园的事情说来很长，但是按下去说，它的历史实在是相当的短的。宁寿堂的匾额改为德寿堂，显然为了避清道光的讳，这已是十九世纪的事，即使说新台门的成立提早在嘉庆时代，也还是十八世纪末年而已。至于园的作用时间更是短了，以前以后仍是一个荒园或菜园，只有在中间这几年发挥了百草园的作用，如《朝华夕拾》中所说的，大概至多不过七八年，即自癸巳至庚子之间。鸣蝉与黄蜂，蟋蟀与斑蝥，何首乌与覆盆子，它们可能长久存在，如没有人和它们发生联系，那么这也是徒然的，只是应时自生自灭罢了。

新台门于民国八年如《朝华夕拾》上所说卖给了朱文公的子孙了，可是那园却早已半身不遂，也可以说被阴间小鬼锯作两爿，简直不成样子了。朱家最初住在东邻，后来逐渐向外发展，收买了王广思堂的北部，在咸欢河沿开门，接着也归并了百草园贴邻的孙家房屋。民国二三年顷，仁房的人公议出卖园地，作价一千元，让与朱家，乃于园中央筑上一堵高墙，东半部拿去不打紧，剩下的西半部也成了一长条，显得狭小，虽然种菜还是可以。东边本来有孙家的高墙，但那边大概是住宅，严密也还当然，幸而园地宽大，西边梁家交界只是泥墙，既低而又多倾圮，西南一片淡竹林映影过来，仿佛是在一个园里的样子，所以并不觉得怎么，如今碉堡似的砖墙直逼到园中心来，这园至少也总是死掉了一半了。在北伐军入北京以前，大家来往过金鳌玉蝀桥，看见桥上靠南那一堵大墙，非常感觉不愉快，事情大小不一样，但是感觉却是很有点相像的。北海桥上的墙现今早已拆除，百草园中间的墙大概也是拆了吧，即使别的方面不能恢复原状，这一点却是必要的，因为在《朝华夕拾》上，在我这文章上所说的都是整个的百草园，中间是没有什么间隔的。

第二分　园的内外

一　孔乙己时代

这题目该是“孔乙己时代的东昌坊口”，因为太长一点，所以从略，虽然意思稍欠明了。孔乙己本来通称孟夫子，不知道住在什么地方，但是他时常走过这条街，来到咸亨酒店吃酒，料想他总是住的不远吧。那时东昌坊口是一条冷落的街，可是酒店却有两家，都是坐南朝北，西口一家曰德兴，东口的即咸亨，是鲁迅的远房本家所开设，才有两三年就关门了。这本是东西街，其名称却起因于西端的十字路口，由那里往南是都亭桥，往北是塔子桥，往西是秋官第，往东则仍称东昌坊口，大概以张马桥为界，与覆盆桥相连接。德兴坐落在十字路的东南角，东北角为水果莲生的店铺，西边路北是麻花摊，路南为泰山堂药店，店主申屠泉以看风水起家，绰号“矮癞胡”更为出名。路南德兴酒店之东有高全盛油烛店，申屠泉住宅，再隔几家是小船埠头，傅澄记米店，间壁即是咸亨，再过去是屠姓柴铺和一家锡箔铺，往南拐便是张马桥了。路北与水果铺隔着两三家有卖扎肉腌鸭子的没有店号的铺子，养荣堂药店，小船埠头的对过是梁姓大台门，其东为张永兴棺材店，鲁迅的旧家，朱滋仁家，到了这里就算完了，下去是别一条街了。中间有些住宅不能知道，但是显明的店铺差不多都有了，关于这些有故事可说的想记一点出来，只是事隔半世纪，遗忘的恐怕不少，也记不出多少罢了。

二 咸亨的老板

咸亨酒店的老板之一是鲁迅的远房本家，是一个秀才，他的父亲是举人，哥哥则只是童生而已。某一年道考落第后，他发愤用功，一夏天在高楼上大声念八股文，音调铿锵，有似唱戏，发生了效力，次年便进了学，他哥哥仍旧不成，可是他的邻号生考上了，好像是买彩票差了一号，大生其气，终于睡倒地上把一棵小桂花拔了起来。那父亲是老举人，平常很讲道学，日诵《太上感应篇》，看见我们上学堂的人有点近于乱党，曾致忠告云，“从龙成功固好，但危险却亦很多”，这是他对于清末革命的看法。晚年在家教私塾，年过从心所欲，却逾了矩，对佣媪毛手毛脚的，乱写凭票予人，为秀才所见，大骂为老不死，一日为媪所殴，媳妇遥见，连呼“老昏虫该打”。有一回，本家老太太见童生匆匆走去，及过举人房门外，乃见有一长凳直竖门口，便告知主人去之，后问童生，则笑答是他装的弶，盖以孝廉公为雉兔之类，望其触弶一跌而毙也。同时在台门内做短工的有一个人，通称皇甫，还不知道是王富，有一天在东家灶头同他儿子一起吃饭，有一碗腌鱼，儿子用筷指着说道："你这娘杀吃吃。"父亲答道："我这娘杀弗吃，你这娘杀吃吧。"娘杀是乡下骂人的恶话，但这里也只当作语助词罢了。这两件都是实事，我觉得很有意思，多少年来一直记着，现在写了出来，恰好作为《孔乙己时代》之二吧。

三　小酒店里

无论咸亨也罢，德兴也罢，反正酒店的设备都是差不多的。一间门面，门口曲尺形的柜台，靠墙一带放些中型酒瓶，上贴玫瑰烧五加皮等字，蓝布包砂土为盖。直柜台下置酒坛，给客人吊酒时顺便掺水，手法便捷，是酒店官本领之所在，横柜台临街，上设半截栅栏，陈列各种下酒物。店的后半就是雅座，摆上几个狭板桌条凳，可以坐上八九十来个人，就算是很宽大的了。下酒的东西，顶普通的是鸡肫豆与茴香豆。鸡肫豆乃是用白豆盐煮漉干，软硬得中，自有风味，以细草纸包作粽子样，一文一包，内有豆可二三十粒。为什么叫作鸡肫豆的呢？其理由不明白，大约为的嚼着有点软带硬，仿佛像鸡肫似的吧。茴香豆是用蚕豆，即乡下所谓罗汉豆所制，只是干煮加香料，大茴香或是桂皮，也是一文起码，亦可以说是为限，因为这种豆不曾听说买上若干文，总是一文一把抓，伙计也很有经验，一手抓去数量都差不多，也就摆作一碟。此外现成的炒洋花生，豆腐干，盐豆豉等大略具备，但是说也奇怪，这里没有荤腥味，连皮蛋也没有，不要说鱼干鸟肉了。本来这里是卖酒附带吃酒，与饭馆不同，是很平民的所在，并不预备阔客的降临，所以只有简单的食品，和朴陋的设备正相称。但是五十年前，读书人都不上茶馆，认为有失身分，吃酒却是可以，无论是怎样的小酒店，这个风气也是很有点特别的。

四　泰山堂里的人

泰山堂药店在东昌坊口的西南拐角，店主是申屠泉，有鲁迅的一个同高祖的堂叔在里边做伙计，通称桐少爷。他的父亲浪游在外，客死河南，人极乖巧，有点偏于促狭，而其子极愚钝，幼育于外婆家，外婆殁后送还本家，其叔母不肯收容，遂流落宿门房中。曾以族人保荐，申屠用为伙计，本家人往买苏叶薄荷或苍术白芷，辄多给好些，但亦有人危惧，如买大黄麻黄而亦如此，那就大要误事了。申屠家临街北向，内即堂屋，外为半截门，称曰摇门，摇读作去声，一日申屠方午饭，忽有人从门外抛进一块砖头来，正打中他的秃头，遂以毙命，凶手逃走无踪，街坊上亦无人见者，成为疑案。或云，申屠为人看风水，图谋别家坟地，因而招怨，亦未可知，唯抛砖暗杀，方法甚奇，一击命中，如此本领亦属少有，或只因妒其暴发，略施骚扰，不意击中耳。

申屠既死，桐少爷遂复失业，族人醵资，令卖麻花烧饼，聊以自给，但性喜酒，好好的卖了几天之后，常去喝一次，不但本钱即竹篮也就不见了，归来愧见本家，则掩户高卧，族人恐其饿死，反加劝慰，再买一篮予之。桐少爷虽愚钝而颇质直，平生不作窃盗，有时出语亦殊有理致，一日自叹运蹇，詈其父曰："只是下蛆似的下了就算。"我们局外人传开了这句话，也着实替他感到一种心痛，诚如鲁迅昔时戏言，父范学堂之设置，其切要正不下于师范也。

五　水果莲生

东昌坊口东北角的水果摊其实也是一间店面，西南两面开放，白天撤去排板门，台上摆着些水果，似摊而有屋，似店而无招牌字号，主人名莲生，所以大家并其人与店而称之曰“水果莲生”云。平常是主妇看店，水果莲生则挑了一担水果，除沿街叫卖外，按时上近地各主顾家去销售。这担总有百十来斤重，挑起来很费气力，所以他这行业是商而兼工的，主顾们都是街坊，看他把这一副沉重的担子挑到堂前来，觉得不大好意思让他原担挑了出去，所以多少要买他一点，无论是杨梅桃子或是香瓜之类。东昌坊口距离大街很远，就是大云桥也不很近，临时想买点东西只好上水果莲生那里去，其价钱较贵也可以说是无怪的。近处有一个小流氓，自称姜太公之后，他曾说水果莲生所卖的水果是仙丹，所以那么贵，又一转而称店主人曰华佗，因为仙丹只有那里发售，但小孩们所怕的却并非华佗而是华佗太太，因为她的出手当然要更紧一点了。这店里销路最好的自然是甘蔗荸荠，其中更以甘蔗为大宗，虽然初夏时节的樱桃，体格瘦小，面色苍白，引不起诗人的兴趣来的，却大为孩子们所赏识，一堆一堆的也要销去不少。至于大颗的，鲜红饱满的那种樱桃呢，那只有大街里才有，价钱当然贵，可是一听也并不怎么大，因为卖樱桃照例用的是“老十六两”秤，原来是老实六两，那么半斤也只是说三两的价钱而已。

六　傅澄记米店

在小船埠头与张马桥之间，只有几家人家，即是傅澄记米店，咸亨酒店，某姓机房，屠家小店，又一家似是锡箔店老板的住宅。傅澄记在口头上只称傅通源，因为是从那里分出来的，老主人竭力声明，他是傅澄记，招牌上也明明写着，可是大家都不理他，在他们看来这似乎是多事，而且说惯了也难改。那小主人通称小店王，年少气盛，又有点傻头傻脑的，常与街坊冲突，碰着破落大家子弟，便要被"投地保"，结果讨饶了事，拿一对红蜡烛，和一打小清音，实在只几个人乱吹一阵，算是赔礼，这样的事不止一次，有一回和咸亨的那文童打架，大家记得最是清楚。

他娶妻后几年没有儿子，乃根据不孝有三，无后为大的道理，又娶了一房小，可是从此米店就大为热闹，争夕的风潮四日两头的发生，时常逼得小店王走投无路，只要寻死。有一天他大叫要去投河，可是后门临河他并不跳，却要往禹迹寺前去，相距约有一里，适值下雨，他又穿起钉鞋，撑了雨伞，走出店门，街坊上看的人不少，都只是当作戏文看，没有人去拦阻他，直等他一面叫着投河去，在雨中走了几丈路之后，才由店里的春米师父挽着“扭纠头”，赤着膊冒雨追上去，拉了他回来。

这个喜剧假如不真是有人看见，大抵说来不易相信，真好像是《笑林》里的故事，而且还是造得不大好的，但这实在是街坊的一个典故。不单是知道，就是看见的人也还有，可以说是一点没有虚假，就只是太简略，但存一个梗概罢了。

七　屠家小店

屠家小店没有字号，但他们自称是屠正泰，大概从前曾经开过这么一个店，所以名号还保存着。现在的却是牌号什么都没有，只是临街一间店面，也没有柜台，当街一个木栅栏，直角放着钱柜，也算是曲尺形。檐下横放铺板，陈列十几堆炒豆、炒花生之类，每堆一文钱，一个长方木盒，上盖玻璃，中分数格，放着圆眼糖、粽子糖、茄脯、梅饼，也是一文一个，往大路口糖色店去贩来是六文十个吧，可是那路总有十里以上。里边存放着多少松毛柴和小塘柴，这小店的货色便尽于此了。

店里的主人是个老太婆，名叫宝林太娘，娘家在山里，那些柴便是由他的兄弟随时送来的，两个儿子都在外路学生意，身边只留下一个女儿，近地小孩们去买豆和糖，和她很稔熟，称之曰宝姊姊。老太婆照例念佛宿山，这位宝林太娘却更是热心，每年夏天发起宣卷，在本坊捐一点钱，在她小店的对过搭起台来，高宣宝卷。

宝姑娘每日坐在小店里砑纸，可是听熟了宝卷，看惯了台门里人的斯文生活，影响了她的人生观，造成小小的悲剧。她从小许给山里的远亲，婚嫁愆期，男家便来抢亲，她从后楼窗爬出，想逃进东邻的楼里去，失足落水，河里恰泊着男家的船，被捞起来载了去了。她终于不屈，末下提出条件，要新郎不骂娘杀，不赤脚，才可成婚，男人是种田的，实在办不到，结果只好退还聘礼解约。她回到家里以后，常在楼上，店头就少看见，不久病死了，在乡下说是女儿痨，大概只是肺病吧，这时期与孔乙己之归道山当相去不远。这种事在乡下常有，是一个小悲剧罢了，但是这事情却也是很可悲的。

八　长庆寺

鲁迅在小说《怀旧》中说及张睢阳庙，原是指塔子桥的唐将军庙，不过事实上还有点出入。

唐将军附属在长庆寺里，只有一间庙，一座坟，不能摆下几桌酒席，所以实际上或者要间壁的穆神庙才能应付，那里在清末曾经办过小学堂。长庆寺是坐西朝东的一个大寺，小姑母家在那里做过水陆道场，我住了好几天，知道得很清楚，那时的住持是传忠传荣与阿和这一代，但是上一代更有名，便是鲁迅的记名师父，阿隆师父，他法名的一字失传，当面只叫隆师父，背后通称阿隆而已。据先君说，有一天他在那里，阿隆正躺在大烟榻上，听见隔壁房内两个小和尚吵闹扭结，问知乃是抢夺解结钱，起来大声喝止，这一件小事很能传出禅房里的空气来。人家做法事，有“解结”一段落，用黄头绳各串二三十文制钱，由闺秀打成各种复杂花结，装瓷盘内，和尚们口念“解结解结解冤结”等歌词，一面把结解开，连绳带钱都放进袖子里去，算是一宗外快。那小和尚便是传忠传荣，是阿隆的嫡传法嗣，此外还有一个阿和，则是普通的徒弟，法名应是“传和”，却也失传了。民国以来的第三代通称阿毛或毛师父，似乎已经没有法名，有人问他家在哪里，他回答说的是哪一个家，因为他家有三个，即寺里，父家与妻家，真是所谓出了家更忙了。

隆师父自必有其隆师母，传荣法师曾有名言，说“要不然小菩萨是哪里来的呢”，只是未见经传，齐甘君的连环图画上所见的大概是她唯一的喜容吧（见《鲁迅的童年》上册中）。

九　两种书房

现代的青年大都没有受过塾师的熏陶，这是一种幸福，但依据塞翁得马的规律，同时也不免是损失。私塾里的教法多是严厉烦琐得不合理的，往往养成逃学，不爱用功的习惯，能够避免这种境遇是很好的事，但因此不知道书房的情形，看小说或传记时便不很能了解。例如鲁迅在《朝华夕拾》里所讲三味书屋的先生，和《怀旧》里的秃先生不是一回事，这在文章的性质上，一是自述，一是小说，固然很明了，在所记事件上也一样的清楚，不可能混为一谈的。因为三味书屋是私塾，先生在家里开馆授徒，每节收束脩若干，学生早出晚归，路近的中午也回家去吃饭；有钱人家则设家塾，雇先生来教书，住在东家的家里，如秃先生那样，这完全是两种办法。鲁迅家里一直请不起先生，只是往先生家走读，所以三味书屋当是实在情状，《怀旧》里的家塾则是虚拟的描写，乃是小说而非真的回忆，即如读夜书，非在家塾也是没有的事。有人讲鲁迅的故事，把这两件事团作一起，原因一半是由于不明白从前书房的区别，但是把人品迥不相同的两位先生当做一个人，未免对于三味书屋的老先生很是失敬了。《怀旧》里影射辛亥革命时事，那时鲁迅已是三十一岁，自然也不能据为信史，说他是正在读《论语》了吧。

一〇　秃先生是谁

鲁迅的第一篇小说，民国元年用文言所写的，登在《小说月报》上面，经发见出来，在杂志上转载过，虽然错字甚多，但总之已有人注意了。不过这里发生一个误解，有好些人以为秃先生就是三味书屋的主人，这是一个很大的错误。鲁迅在书房里的老师只有这一位寿怀鉴先生，是个饱学秀才，方正廉介，书钱一年四节，每节两元，不论所读何书，鲁迅曾从他读过《尔雅》，这在全城里塾中也是没有的事。在《朝华夕拾》中著者对于他有相当敬意，那两句“金叵罗颠倒淋漓，千杯未醉，铁如意指挥倜傥，一座皆惊”，显出老先生的神气，却不是仰圣先生模样，这和《怀旧》比较就可以知道的。秃先生的名称或者从王广思堂坐馆的矮癞胡先生出来也未可知，其举动言语别无依据，只是描写那么一个庸俗恶劣的塾师，集合而成的罢了。但中间叙说他：“先生能处任何时世，而使己身无几微之疵，故虽自盘古开辟天地后，代有战争杀伐，治乱兴衰，而仰圣先生一家，虽不殉难而亡，亦未从贼而死，绵绵至今。”深刻的嘲骂乡原，与后来的小说同一气脉，很可注意。耀宗拟设席招待，乃是实事，所谓张睢阳庙则是指那狙击元将琶八之宋卫士唐将军祠也。后圃古池虽系实有，却亦不明晰，至于扑萤堕芦荡事乃是涉笔成趣，未可据为典故，正如起首云“门外有青桐一株，高可三十尺，每岁实如繁星”，也并非事实，不过所写的那个景象的确是极好的。

一一　寿先生

覆盆桥寿家，即是三味书屋，前清末年在绍兴东半城是相当闻名的。寿先生名怀鉴，字镜吾，是个老秀才，以教读为生，他的书房是有规矩而不严厉，一年四节，从读《大学》起至《尔雅》止，一律每节大洋两元，可是远近学生总是坐满一屋的。说也奇怪，学生中间并不曾出若干秀才举人，大抵只是为读书识字而来，有大部分乃是商家子弟，有的还做着锡箔店的老板吧。寿先生教书与一般塾师有不同的一点，给学生上书时必先讲解一遍，大概只有一个例外，便是鲁迅读完五经和《周礼》之后，再读一部《尔雅》，这“初哉首基俶落权舆”一连串无可发挥，也只好读读而已。先生居家很是俭朴，有一年夏天，只备一件夏布大衫，挂在书房墙壁上，他有两个成年儿子，一矮一长，父子三人外出时轮流着用，长的（先生身材也很高）觉得短一点，矮的穿了又很有点拖拖曳曳了。这已是光绪戊戌以前的事，寿先生的次子移居北京，现今住在三味书屋的已经都是孙辈，对于那时的事情什么都不能知道了。

一二　寿先生二

凡是品行恶劣的人，必定要装出一副道学面孔，而公正规矩，真正可以称得道学家的，却反是和易近人，一点都不摆什么架子。我有一个本家长辈，是前清举人，平日服膺程朱，不以词色假人，每早又必朗诵《阴骘文》若干遍，可是晚年渔色，演出种种丑态。相反的是三味书屋的寿先生，他持身治家十分谨严，一介不取与，叫儿子往街换钱，说定九八通行制钱，回来一百百的复算，发见中间一处有缺，立即叫儿子肩了去要求补足，他拿出给人家时也总是实数（九八、九六或五四，依照惯例，不再缺少），可以通用的钱，决不掺杂标准以下的小钱以及沙壳白板。他的儿子进了秀才，报单到时，他托出三百文板方大钱来，门斗嫌少，他便说这是父亲时代传来的老规矩，如若不满意，可以把秀才拿回去吧。但是他平常对人无论上下总是很和气的，在书房里也决不看《阴骘文》等异端的书或《近思录》，只是仰着头高吟：

金叵罗颠倒淋漓，千杯未醉荷；

铁如意指挥倜傥，一座皆惊唉。

这两句话记在鲁迅的《朝华夕拾》中[①]，却不知道是什么人的赋，或者是吴谷人的吧。

【锺校】

①《朝华夕拾》引这两句作："铁如意，指挥倜傥，一座皆惊呢……；金叵罗，颠倒淋漓噫，千杯未醉嗬……"

一三　马面鬼

中国向来不大赞成无鬼论，至少如书中所记录，《晋书》的阮瞻，《玄怪录》的崔尚，《睽车志》的宗岱，著了《无鬼论》，终于被鬼现形所折服，其论亦遂不传。我虽然做不出什么论，可是也不相信有鬼的，这样我说得稍为客气点，留出馀地让人家可以也相信有鬼，我自己则深信形灭神不能独存，也没有见过鬼形听到鬼声的经验。这种经验是可以有的，我们见闻好些这一类的报告，并不一定是虚谎，有一部分是精神错乱的幻觉，一部分是疑心生暗鬼的误会。二者之中以后者比较的为多，譬如说看见一团白物，这可能是白衣人或一只白狗，听见吱吱呷呷的鬼叫，这或者本来就是老鼠蝙蝠以及鸭子。先君是不信鬼的，却见过鬼，有一回在光绪初年他在亲戚家吃酒，回家时已过半夜，提着一盏灯笼独自走着，走进一条小弄的时候，忽然看见不远地方站着一个矮鬼，身子只有三尺，脸狭而长却有一尺多，披着长头发分散两边。他心想这回倒好，有运气看到鬼了，一直走上去，那鬼也不退避，还是站在那里，及至走得很近，举起灯笼来在鬼面上一照，这才呼了一声掉转头跑了去了。原来外边是个废园，泥墙半坍了，有一匹白马在缺处伸出头来观望着。后来先君常说："我好容易见到了马面鬼，就只可惜乃是一匹真的马。"他很顽固的主张无鬼，说他死了也不会变鬼的，在他三十七岁故去的时候还说一无所见，这个庭训我总是真心遵守的。

一四 三个医生

《朝华夕拾》第八篇是《父亲的病》，里边讲到三个医生，虽然只说出了一个人的名字，即是陈莲河本名何廉臣，是最后的一个。

说“舌乃心之灵苗”，一种什么丹点在舌头上，可以见效的，实在乃是最初的医生，只记得姓冯，名字已失传，当时病人还能走出到堂前廊下来看病，可以为证。他大概只来了两三回，就不再请了，这倒与心之灵苗无关，原因是上一次说“老兄的病不轻，令郎的没有什么”，下回来时却说的相反了，他穿了古铜色的夹缎袍，酒气拂拂，其说不清楚或者也是无足怪的。灵苗一说未曾和他的大名一同散逸，却也成了佚文，没有归宿，所以便借挂在何大夫的账上，虽然实在并不是他所说的。

中间的医生是姚芝仙，医方的花样最多，仿佛是江湖派的代表，至于篇首所记的一个名医的故事，那时候的确有这传说，事实究竟如何，现在不能确说。

此外有盛名的医生本来还有一个朱滋仁，就住在东边贴间壁，几乎有华佗[1]转世的名誉，可惜他自己先归道山了，来不及请教他，他虽然在上海洋场上很久，可是江湖气似乎还不很重。《从百草园到三味书屋》中说园与房子现在卖给了朱文公的子孙，那就是他的儿子朱朗仙是也。

【锺校】

①“佗”原作“陀”。

一五　鲁老太太

鲁老太太是鲁迅的母亲；她母家姓鲁，住在会稽的安桥头，住民差不多全是姓鲁的。她的父亲号晴轩，是个举人，曾在户部当主事，因病辞职回家，于光绪甲申年去世。她有两个姊姊，一个哥哥，号怡堂，一个兄弟，号寄湘，都是秀才，大约在民国前后也都故去了。

她生于清咸丰七年即一八五七年，于民国三十二年（一九四三）在北京去世，年八十七岁。她没有正式读过书，却能识字看书，早年只读弹词说部，六十以后移居北京，开始阅报，日备大小报纸两三份，看了之后与家人好谈时事，对于段张冯蒋诸人都有批评。她是闺秀出身，可是有老百姓的坚韧性。清末天足运动兴起，她就放了脚，本家中有不第文童，绰号“金鱼”的顽固党扬言曰：“某人放了大脚，要去嫁给外国鬼子了。”她听到了这话，并不去找“金鱼”评理，却只冷冷说道：“可不是么，那倒真是很难说的呀。”她晚年在北京常把这话告诉家里人听，所以有些人知道，别的事情也有可以讲的，但这一件就很足以代表她的战斗性，不必再多说了。“金鱼”最恨革命党，辛亥光复前夕往大街，听谣言说革命党进城了，立即瘫软走不成路，由旁人扶掖送回，传为笑柄。

一六　一幅画

我有一幅画，到我的手里有八九年了，我不知道怎么办才好。这如说是画，也就是的，可是又并不是，因为此乃是画师想像出来的一个人的小像。这人是我的四弟，他名叫椿寿，生于清光绪癸巳（一八九三）年，四岁时死了父亲，六岁时他自己也死了，时为光绪戊戌。他很聪明，相貌身体也很好，可是生了一种什么肺炎，现在或者可以医治的，那时只请中医看了一回，就无救了。母亲的悲伤是可以想像的，住房无可掉换，她把板壁移动，改住在朝北的套房里，桌椅摆设也都变更了位置。她叫我去找画神像的人给他凭空画一个小照，说得出的只是白白胖胖的，很可爱的样子，顶上留着三仙发，感谢那画师叶雨香，他居然画了这样的一个，母亲看了非常喜欢，虽然老实说我是觉得没有什么像。这画得很特别，是一张小中堂，一棵树底下有圆扁的大石头，前面站着一个小孩，头上有三仙发，穿着藕色斜领的衣服，手里拈着一朵兰花。如不说明是小影，当作画看也无不可，只是没有一点题记和署名。她把这画挂在房里前后足足有四十五年，在她老人家八十七岁时撒手西归之后，我把这画卷起，连同她所常常玩耍、也还是祖母所传下来的一副骨牌，拿了过来，便一直放在箱子里，没有打开来过。这画是我经手去托画裱好拿来的，现在又回到我的手里来，我应当怎么办呢？我想最好有一天把它火化了吧，因为流传下去它也已没有意义，现在世上认识他的人原来就只有我一个人了。

一七 姑母的事情

我有过两个姑母，她们在旧式妇女并不算怎么不幸，可是也决不是幸福，大概上两代的女人差不多就是那么样吧。大姑母生于清咸丰戊午（一八五八）年，出嫁很迟，在吴融马家做继室，只生了一个女儿，有一年从母家回乡去，坐了一只小船，中途遇见大风，船翻了，舟夫幸而免，她却淹死了。小姑母生于同治戊辰（一八六八）年，嫁在东关金家，丈夫是个秀才，感情似颇好，可是舅姑很难侍候，遇着好许多磨折。她不知是哪一年出嫁的，她有一个女儿是属兔的，即光绪辛卯（一八九一）年所生，算来结婚当是己丑庚寅之间吧，她平常对几个小侄儿都很好，讲故事唱歌给他们听，所以她出阁那一天，大家特别恋恋不舍，这事情一直到后来还不曾忘记。至甲午（一八九四）年她产后发热，不久母子皆死，这大抵是产褥热，假如她生在现代，那是不会得死的。她的死耗也使得内侄们特别悲伤，据说她在高热中说胡话，看见有红蝙蝠飞来，当时鲁迅写过祭文似的东西，内容却是质问天或神明的，里边特别说及这红蝙蝠的问题，这是神的使者还是魔鬼呢，总之它使好人早夭，乃是不可恕的了。鲁迅后来在日记上记着她的忌日，可见他也是很久还记忆着的。

一八　丁耀卿

丁耀卿这名字，大概现今知道的人已经很少了吧。我当初也不认识他，辛丑八月中我同了封德三的一家从乡下来到南京，轮船在下关靠了趸船的时候，有几个人下来迎接，有一个据说是封君的母族长辈，年纪却很青，看他在讲话，可是我一句都听不出。原来他就是丁耀卿，绍兴人，矿路学堂本届毕业生，是鲁迅的同班至友，生了肺病，如今结核菌到了喉头，所以声带哑了，说起话来没有声音。这之后我就没有机会看见他，到了十二月初，就听见人说丁君已于上月廿六日去世，这一条写在旧日记上，还录有两副人家送给他的挽联。其一署名豫才周树人，文曰：

男儿死耳，恨壮志未酬，何日令威来华表；

魂兮归去，知夜台难瞑，深更幽魄绕萱帏。

其二署名秋平蒋桂鸣，文曰：

使君是终军长吉一流，学业将成，三年呕尽

心头血；

故乡在镜水稽山之地，家书未达，千里犹缝游子衣。

蒋君大概是陆师学堂的学生，记得年纪较大，在前清还有点功名，不知道是秀才还是廪生了，也是浙江人，或者是台州人也说不定（鲁迅在南京时的日记如尚保存，当有更多的资料可以找到）。

一九　胡韵仙

胡韵仙为铅山胡朝梁（诗庐）的兄弟，初名朝栋，进水师学堂，与鲁迅同学，及鲁迅退学，他也因事出来了。过了些时改名胡鼎，和我同考“云从龙风从虎论”，以第一名录取，补副额（即三班），洋汉文功课均佳。壬寅二月鲁迅将往东京，韵仙拿了三首诗来送他，今录于下：

忆昔同学，曾几何时，弟年岁徒增，而善状则一无可述，兹闻兄有东瀛之行，壮哉大志，钦慕何如，爰赋数语，以志别情，犹望斧正为荷。

英雄大志总难俦，夸向东瀛作远游。
极目中原深暮色，回天责任在君流。

×

总角相逢忆昔年，羡君先着祖生鞭。
敢云附骥云泥判，临别江干独怆然。

×

乘风破浪气豪哉，上国文光异地开。

旧域江山几破碎，劝君更展济时才。

这几首在他的诗里不算是佳作，我请他写一个扇面，写的是自作的两首诗，一是彭蠡遇风，一是送兄之作，暑假时拿回去为祖父所见，询是同班学生，曾郑重的说，同学中有这样人才，不可大意，须要加倍用功。韵仙很有才气，能说话，能写文章，能做事，在我们少数的朋友中间，没有一个人及得他来。他曾自评云："落拓不羁，小有才具。"自谦之中也有自知之明。他在驾驶堂的宿舍，独占一间，末了一个时期忽将板床拆去，只留三张半桌，放在房子中间，晚上便在这上边睡觉，平常将衣服打成背包，背着绕了桌子走。问他是什么意思，答说中国这样下去非垮台不可，大家学习逃难要紧。听的人都以为狂，其实他自然是在锻炼吃苦，想去参加革命，转入陆师后环境较好，同志也可能多一点，但是他不久病故，所以并没有能够干得什么事，倒是他的老兄到民国初年尚在，在教育部做官，专门做江西派的诗，当年的志气也一点都没有了。

二〇　秋瑾

秋瑾与鲁迅同时在日本留学。取缔规则发表后，留学生大起反对，秋瑾为首，主张全体回国，老学生多不赞成，因为知道取缔二字的意义并不怎么不好，因此这些人被秋瑾在留学生会馆宣告了死刑，有鲁迅、许寿裳在内，鲁迅还看见她将一把小刀抛在桌上，以示威吓。不久她归国在江浙一转，回到故乡去，主持大通体育学堂，为革命运动机关，及徐锡麟案发被捕，只留下“秋雨秋风愁杀人”的口供，在古轩亭口的丁字街上被杀。革命成功了六七年之后，鲁迅在《新青年》上发表了一篇《药》，纪念她的事情，夏瑜这名字很是显明的，荒草离离的坟上有人插花，表明中国人不会忘记了她。在日本报上见到徐案消息的时候，留在东京的这一派人对于与徐秋有关的人的安全很是忧虑，却没有人可以前去，末后托了一个能懂中国话的日本同志，设法混进绍兴去，可是一切混乱，关系的人一个都找不到，竺绍康、王金发大概逃回山里，陶成章、陈子英等人随即溜到东京来了。这个探信的人大抵未曾留辫子，异言异服的，不曾被做公的抓了去，实属运气之至，可见清朝特务之不讲究，那时城中还没有客栈，所以无处安身，只好在一家鸦片烟馆里混了两晚，他也不会抽大烟，不知道是怎样的对付过来的。他的姓名现在已不记得，这件事远在四十多年以前，所以知道的人也只有一两个人了吧。

二一　袁文薮与蒋抑卮

袁文薮与蒋抑卮都是鲁迅的老朋友。鲁迅从仙台医学校退了学，来到东京，决心要做文学运动，先来出一个杂志，定名叫作《新生》，是借用但丁的一本书名的。他拉到了两个同乡友人，给《新生》写文章，一个是许季茀，一个即是袁文薮。许是在东京高等师范念书，袁不知学的是什么，但未曾毕业，不久转往英国留学去了。袁与鲁迅很是要好，至少关于办杂志谈得很投合吧，可是离开了东京之后就永无音信，所以这里关于他的故事也终结了。蒋抑卮是杭州的银行家，大概是浙江兴业银行的理事吧，他本与许季茀相识，一九〇八年他往东京割治耳病，先到本乡许处寄居，鲁迅原住在那里，所以认识了。

他虽是银行家，却颇有见识，旧学也很好，因此很谈得来，他知道鲁迅有介绍外国小说的意思，愿意帮忙，垫付印刷费，卖了后再行还他。这结果便是那两册有名的《域外小说集》，第一册一千本，垫了一百元，第二册减少只印了五百册，又借了五十元，假如没有这垫款，那小说集是不会得出世的。此书在东京的群益书社寄售，上海总经售处是一家绸缎庄，很是别致，其实说明了也极平常，因为这铺子就是蒋家所开的。《域外小说集》的故事已经有些人讲过了，但是关于出资的人似尚未提及，我觉得也值得介绍一下。民国以后，鲁迅在北京的时候，蒋抑卮北来必去拜访，可见他们的交情一直是很好的了。

二二　蒋观云

鲁迅在东京的朋友不很多，据我所知道的大概不过一打之数，有的还是平常不大往来的。现在我便来讲这样的两个人，即是蒋观云与范爱农。观云名蒋智由，是那时的新党，避地东京，在《清议报》什么上面写些文章，年纪比鲁迅总要大上二三十岁了，因为他是蒋伯器的父亲，所以同乡学生都尊他为前辈，鲁迅与许季茀也常去问候他。可是到了徐锡麟案发作，他们对他就失了敬意了。当时绍兴属的留学生开了一次会议，本来没有什么善后办法，大抵只是愤慨罢了，不料蒋观云已与梁任公组织“政闻社”，主张君主立宪了，会中便主张发电报给清廷，要求不再滥杀党人，主张排满的青年们大为反对。蒋辩说猪被杀也要叫几声，又以狗叫为例，鲁迅答说，猪才只好叫叫，人不能只是这样便罢。当初蒋观云有赠陶焕卿诗，中云，“敢云吾发短，要使此心存”，鲁迅常传诵之，至此时乃仿作打油诗云，“敢云猪叫响，要使狗心存”，原有八句，现在只记得这两句而已。蒋著有《海上观云集》，在横滨出版，以旧诗论大概还有价值，可是现今知道的人恐怕已经不多了吧。

二三　范爱农

范爱农是《越谚》著者范寅的本家，在日本留学大概是学理工的，起初与鲁迅并不认识，第一次相见乃是在同乡学生讨论徐案的会场上。其时蒋观云主张发电报给清廷，有许多人反对，中间有一个人蹲在屋角落头（因为会场是一间日本式房子，大家本是坐在席上的），自言自语的说道："死的死掉了，杀的杀掉了，还打什么鸟电报。"他也是反对电报的，只是态度很是特别，鲁迅看他那神气觉得不大顺眼，所以并未和他接谈，也不打听他的姓名，便分散了。这是一九〇六年的事情，事隔五年之后，辛亥革命那年，绍兴光复，王金发设立军政分府，聘请鲁迅为师范学校校长，范某为副校长，就任之日一看原来即是那蹲在屋角落头的人，这时候才知道他叫范爱农，所用的官名大家都已不记得了。自此以后他们成为好友，新年前后常常头戴农夫的毡帽，钉鞋雨伞雪夜去访鲁迅，吃老酒谈天到二三更时候。不久鲁迅往南京进教育部，范爱农离开师校，很不得意，落水而死，鲁迅作五律二首哀之，今收在集里。

二四　蒯若木

蒯若木在日本不知道学的是什么，仿佛似是工业，却也不大像。他与鲁迅来往很少，但颇稔熟，大概是在南京时相识的吧。他看见鲁迅总谈佛法，鲁迅很看过些佛书，可是佛教却是不相信，所以话不能投机，却还是各说各的。一九〇六年以后鲁迅热心学习德文，若木便说：你还是先学佛法，学成之后自有神通，其一是他心通，那时什么外国语都自然能够通解了。事隔十年，大约是五四之前的时候，若木搞什么政治活动，在北京出现，鲁迅在路上遇到他，后来对朋友笑说：若木似乎佛法也还未学成，因为前天我路上遇见他坐了马车走过，要不然有了神足通，何必再要什么马车呢。若木又有一句口头禅云“现居士身而说法”，鲁迅说起他时，常要学他的合肥话，把而字读作挨，又拉得很长的。关于这句话，还附带的有一件故事，很有点可笑，现在且从略。

鲁迅对于蒯若木虽然有时要讥笑，可是并无什么恶意，因为他们本是两个境界的人，意见合不来，也不会发生正面冲突，所以不妨各说各的，旋各自散去也。

二五　周瘦鹃

关于鲁迅与周瘦鹃的事情，以前曾经有人在报上说及，因为周君所译的《欧美小说译丛》三册，由出版书店送往教育部审定登记，批复甚为赞许，其时鲁迅在社会教育司任科长，这事就是他所办的。批语当初见过，已记不清了，大意对于周君采译英美以外的大陆作家的小说一点最为称赏，只是可惜不多，那时大概是民国六年夏天，《域外小说集》早已失败，不意在此书中看出类似的倾向，当不胜有空谷足音之感吧。鲁迅原来很希望他继续译下去，给新文学增加些力量，不知怎的后来周君不再见有著作出来了，直至文学研究会接编了《小说月报》，翻译欧陆特别是弱小民族作品的风气这才大兴，有许多重要的名著都介绍来到中国，但这已在五六年之后了。鲁迅自己译了很不少，如《小约翰》与《死魂灵》都很费气力，但有两三种作品，为他所最珍重，多年说要想翻译的，如芬兰乞食诗人丕威林太的短篇集，匈牙利革命诗人斐象飞的唯一小说，名叫《绞吏之绳》的，都是德国勒克兰姆丛刊本，终于未曾译出，也可以说是他未完的心愿吧。（在《域外小说集》后面预告中似登有目录，哪一位有那两册初印本的可以一查。）这两种文字都不是欧语统系，实在太难了，中国如有人想读那些书的，也只好利用德文，英美对于弱小民族的文学不大注意，译本殆不可得。

二六　俟堂与陈师曾

鲁迅在教育部的同事中有几个熟朋友，以时代先后为序是张燮和，陈师曾，其次是许季茀。他于清戊戌（一八九八）年考入江南陆师学堂附设的矿路学堂，同宿舍的便是张邦华，字燮和，还有芮体乾，毕业后改名顾琅，字石臣。陆师学堂的总办最初是钱德培，后来换了俞明震，陈师曾是俞家的近亲，那时便住在学堂里，虽然原是读书人，与矿路学生一样的只穿着便服，不知怎的为他们所歧视，送他一个徽号叫作“官亲”。及至矿路班毕业，选送日本留学，师曾也一同自费出去，这个歧视才算解除，在高等师范肄业，已与鲁迅开始交往，若干年后在教育部重逢，那时师曾的书画篆刻已大成就，很为鲁迅所重，二人的交谊也就更深一层了。洪宪发作以前，北京空气恶劣，知识阶级多已预感危险，鲁迅那时自号俟堂，本来也就是古人的待死堂的意思，或者要引经传，说出于“君子居易以俟命”亦无不可，实在却没有那样曲折，只是说“我等着，任凭什么都请来吧”。后来在《新青年》上面发表东西，小说署名鲁迅，系用从前在《河南》杂志寄稿时的笔名迅行，冠上了一个姓，诗与杂感则署唐俟，即是俟堂二字的倒置，唐像是姓，又照古文上“功不唐捐”的用例，可作空虚的意思讲，也就是说空等，这可以表明他那时候的思想的一面。师曾给鲁迅刻过好几块印章，其中刻“俟堂”二字的白文石章最佳，也有几张画，大家都想慢慢的再揩他的油，却不料他因看护老太爷的病传染了伤寒，忽然去世了。

二七　陈师曾的风俗画

陈师曾的画世上已有定评，我们外行没有什么意见可说，在时间上他的画是上承吴昌硕，下接齐白石，却比二人似乎要高一等，因为是有书卷气，这话虽旧，我倒是同意的，或者就算是外行人的代表意见吧。手边适值有师曾的《北京风俗图》影印本二册，翻阅一过，深觉得这里有社会的意义，学问与艺术的价值，不是一般画师所能到的。画上有各人题句，是民国五六年所书，大略可以知道作画的年代，其时鲁迅在教育部，时常邀集二三友人到绒线胡同西口路南的回教馆楼上吃牛肉面，从东铁匠胡同斜穿马路过去，路没多远，有一次适有结婚仪仗经过，师曾离开大家，独自跟着花轿看，几乎与执事相撞，友人们便挖苦他，说师曾心不老，看花轿看迷了，随后知道他在画风俗图，才明白他追花轿的意思，图中有吹鼓手打执事，都是属于这一类的。印本题曰“菉猗室京俗词题陈朽画”，前后各十七阕，姚茫父自书所作词，朽道人即师曾画北京风俗共三十四幅，有陈孝起程穆庵何芷舲等人题句，淳菁阁印行，早已绝板。其第十九图送香火，画作老妪蓬首垢面，敝衣小脚，右执布帚，左持香炷，逐洋车乞钱，程穆庵题曰：

> 予观师曾所画北京风俗，尤极重视此幅，盖着笔处均极能曲尽贫民情状，昔东坡赠杨耆诗，尝自序云，“女无美恶富者妍，士无贤不肖贫者鄙”，然则师曾此作用心亦良苦矣。

其实这三十几幅多是如此，除旗妆仕女及喇嘛外皆是无告者也，其意义与“流民图”何异，只可惜朽道人死后此种漫画作风遂成了“广陵散”了。

二八　鲁迅在S会馆

S会馆的名称始见于《呐喊》自序中。这本名山会邑馆，是山阴会稽两县人的会馆，在李越缦日记中常有提及，清末山会合并称为绍兴县，也就改名绍兴县馆。出宣武门一直往南，到了前清杀人的地方菜市口，迤西路南即是北半截胡同，在广和居门前分路，东南岔去是裤腿胡同，西南是南半截胡同，其实这也是一只裤腿，不知何以独承了半截的正统。离胡同北口不远即是会馆，坐西朝东，进了头门二门之后照例是一个大院子，正屋是历代乡贤的祠堂，从右侧弄堂往西去，后边一进平房，是鲁迅寄住过的地方。小小一个院落，南首有圆洞门通到东边，门内一棵大槐树，北首两间下房，正面一排四间，名为“补树书屋”，只因极北一间被下房挡住了阳光，所以关闭不用，鲁迅所用的就是那外边三间罢了。他大概从民二住起直至民八，这里所说只是末三年的情形，其时他睡在靠北的一间里，南头作为我的卧室及客室，中间房内放着一张破画桌和方桌，是洗脸吃饭的地方。他的卧榻设在窗口靠北的墙下，旁边是一张书桌和藤椅，此外几个书架和方桌都堆着已裱未裱的石刻拓本，各种印本的金石书史书等。下午四五点下班，回寓吃饭谈天，如无来客，在八九点时便回到房里做他的工作，那时辑书已终结，从民四起一直弄碑刻，从拓本上抄写本文与《金石萃编》等相校，看出许多错误来，这样校录至于半夜，有时或至一二点钟才睡。次晨九十点时起来，盥洗后不吃早餐便到部里去，虽然有人说他八点必到班，事实上北京的衙门没有八点就办公的，而且鲁迅的价值也并不在黾勉从公这一点上，这样的说倒有点像给在脸上抹点香粉，至少总是失却本色了吧。

二九　S会馆的来客

到S会馆来访问鲁迅的客并不多，因为白天主人不在寓，相识的友人大抵都在教育部里，依了认识的年代说来，如张燮和、陈师曾、许季茀、齐寿山、许季上等人，天天见面，别无登门拜访之必要。偶然有些旧学生，是浙五中或两级师范出身的，或同乡后辈，于星期日来访，主人往往到青云阁或琉璃厂去了，也难得遇见。其中只有一位疑古先生，即是《呐喊》序中之金心异，常来谈天，总在傍晚主人下班时走来，靠在唯一的藤躺椅上，古今中外的谈起来，照例去从有名的广和居叫鳖脚的菜来，炸丸子，木犀肉，酸辣汤之类，用猫饭碗似的器具盛了来，吃过了直谈至十一点钟，回到后孙公园的师大教员宿舍去。他原是民报社听讲的同学，一向很能谈话，在太炎讲了之后，他常常请益，虽然盘脚坐在席上，却有不觉膝前之势，鲁迅与许季茀曾给他起绰号叫作“爬来爬去”，他以这种气势向鲁迅进攻，鲁迅响应《新青年》运动，开始写小说，这在《呐喊》上边曾经说明，读者自当还都记得。疑古知道并记得的事情极多，都于中国文化有关，可惜不曾记录一点下来，如今已多半遗忘了。他往补树书屋谈天，大概继续有三年之久，至民八冬鲁迅迁出S会馆，这才中断。

三〇　鲁迅与书店

鲁迅对大书店向来有些反感。还是在东京留学的时候，他们翻译了一部小说，是哈葛得做的，那时正在时行，共有十万字，寄给书店，以千字二元的代价卖掉，后边附有注解十多页，本来是不算钱的，但在印出来时全给删却了。过了一年，又卖了一部稿子，自己算好有六万几千字，可是寄卖契和钱来的时候差不多减少了万字之谱，他倒也很幽默，就那么收下，等了一年后书印了出来，特地买来一册，一五一十的仔细计算，查出原来的数目不错，于是去信追补，结果要来了大洋拾几元几角几分，因为那时书店是这样精细的算的。第三次是在辛亥革命之后，他同范爱农合办师范学校几个月，与军政分府的王金发部下不大弄得来，就辞了职，想到上海去当编辑。他托了蔡谷卿介绍，向大书店去说，不久寄了一页德文来，叫翻译了拿来看。他在大家公用的没有门窗的大厅里踱了大半天，终于决定应考，因为考取了可以有一百多元的薪水。他抄好了译文，邮寄上海，适值蔡孑民的信来到，叫他到南京的教育部去，于是他立即动身，那考试的结果如何也不去管它，所以没有人记得这是及第还是落第[1]了。这些都是小事，但他对于大书店的反感便是那么的来的。

【锺校】

①“第”原作“地”。

三一　惜花诗

在旧日记中找出抄存鲁迅旧诗四首，系辛丑（一九零一）年春天所作，题曰“惜花四律，步湘州藏春园主人元韵”。藏春园主人不知其真姓名，原作载当时的《海上文社日录》上，大抵是流寓文士，大家结社征诗，以日录（或是什么报的附张吧）为机关报，鲁迅看见偶尔拟作，未必是应征的。诗为七律，颇有些佳句，如其一第三联云：

天于绝代偏多妒，时至将离倍有情。

其二第三联云：

莫教夕照催长笛，且踏春阳过板桥。

其三第三联云：

慰我素心香满袖[1]，撩人蓝尾酒盈卮。

都很流丽。原作云：

【锺校】

① “香满袖”《鲁迅全集》作“香袭袖”。

浅深秀媚如含恨，浓淡丰姿若有情。

×

青埃碧汉三千界，绿意红情廿四桥。

×

参天蘊汉窥云壑，大地阳春泛酒卮。

比较起来差得很多，不但没甚意趣，而且多犯合掌之弊。鲁迅和诗其二的第二句云“金屋何时贮阿娇”，本系押韵，亦切惜花意，他的祖父看见了颇有微词，假如是说的玩笑话，也可以算是老头儿的风趣。但他本是苛酷的人，平时从昏太后呆皇帝，骂到侄辈的五十四七，因为他有爱妾幼子，所以对于家里的人也就更加苛刻了。《文社日录》本来是他所有的，大概这类和诗一定也不少，鲁迅曾经抄集若干为《桐华阁诗录》，只听说有“水月电灯歌”之类，惜花诗则似未见云。

三二　笔述的诗文

翻阅唐弢先生所编《鲁迅全集补遗》，觉得搜集很费苦心，虽然有的可疑的错误收入，有的也不免还有遗漏。巴人的《百草书屋札记》，这回改订五版时已经删除了，在《越铎日报》上恐怕查不出这条来，假如有人还保存着民国三年的报纸。遗漏的有些笔述的译文，如《河南》上的《裴象飞诗论》半篇，在这以前还有《红星佚史》里的诗歌，共有十八九篇之多，有几篇长至二十行以上。这译本不是用鲁迅出名，但其中韵文部分出于他的笔述，那是的确可靠的。我们试将第二编第五章里的一首诗抄在下面。

载辞旧欢兮，梦痕溘其都尽。
载离长眠兮，为夫君而终醒。
恶梦龚斯匡床兮，深宵见兹大魅。
夐汝欢以新生兮，兼幽情与古爱。

胡恶梦大魅为兮，惟圣且神。

相思相失兮[1]，忍余死以待君。

这是一九零六年的作品，差不多同时候自译的有赫纳（通称海涅）的诗收在补遗卷头，可以拿来比较一下。

余泪泛澜兮繁花，余声悱亹兮莺歌。

使君心其爱余兮[2]，余将捧繁花而献之。

流莺鸣其嘤嘤兮，傍吾欢之罘罳。

固然赫纳的诗温丽雅驯，所以看去似乎更好，但是这两者笔调却总可以有些相通的地方。那十八九篇译诗，内容不同，译文成绩也不一样，其中最有意思的，也就要算这一篇了吧。

【锺校】

① 此句《鲁迅译文集》作"相失相思兮"。

② 此句《鲁迅译文集》作"少女子兮，使君心其爱余"。

三三　笔述的诗文二

《河南》杂志上鲁迅的文章，后来大抵收在论文集《坟》里，只有半篇《裴彖飞诗论》未曾收入。这本是奥匈人爱弥耳赖息用英文写的《匈加利文学论》的第二十七章，经人口译，由鲁迅笔述的，所以应当算作他的文字。译稿分上下两部，后《河南》停刊，下半不曾登出，原稿也遗失了。上半篇收存在我的合订本中，现在只有一部分，因为抄在别的书本里，尚可查考，今录于下以见一斑。

> 平原之在匈加利者，数凡三千，而夺勃来钦左近之诃多巴格最有名，常见于裴彖飞吟咏。诸平原为状，各各殊异。或皆田圃，植大麦烟草，荏粟成林，或为平芜下隰，间以池塘，且时或茂密，时或荒寒，时或苍凉，时或艳美。……旅人先过荒野无数，渐入一市，当见是中人物如绘，咸作大野景色。有村人甚谨厚，其妇称小天（匈

加利妇人之尊称)，便给善言。又有羊豕牛马之牧者，衣饰不同，人亦具诸色相。牧羊人在草野间，视羔羖一大队，性温和，善音乐，且知秘密医方，盖所牧羊或病，辄自择草食之，旋愈，牧者审谛，因以博识草木，熟习自然，类术士焉。牧牛者掌大物牝牡，秉性乃野莽好斗，怒牛奔突欲入泽，辄与之角，又斗原上窃牛之贼。牧豕者最下，性阴郁，不得意，又善怒，易流为盗。唯牧马者为胜，日引多马游食草原之上，勇健敏捷，长于歌舞，能即兴赋诗，生与马相习，所以御马与马盗之术皆晓彻，披绣衣，广袖飘扬，又年少英武，女郎多爱慕之。第众中最奇特者，莫如可怜儿，即原上暴客，世传其事多吊诡之趣，盖人谓其违法逆经，必缘败北于人世，或伤于爱恋故也。若夫景色之胜，则为海市，每届长夏，亭午溽暑，空中往往见城寨楼塔，大泽山林之象，光辉朗然。行人遇之，如入仙乡，而顷刻尽灭，不留踪影。为匈加利平野者盖如此。

第三分　鲁迅在东京

一　伏见馆

鲁迅往日本留学，头一次往东京是在壬寅（一九〇二）年二月，至丙午（一九〇六）年夏回乡结婚。秋天再往东京，这里所说的是第二次的事情。那时他已从仙台医学专门学校中途退了学，住在本乡区汤岛二丁目的伏见馆里，房间在楼上路南这一排的靠近西端，照例是四张半席子大小，点洋油灯，却有浴室，大概一星期可以有两次洗浴，不另外要钱（本来外边洗浴也不过两三分钱）。这公寓的饭食招待不能算好，大抵还过得去，可是因了洗浴的缘故，终于发生纠纷，在次年春间搬了出来了。鲁迅平常看不起的留学生第一是头上有“富士山”（辫子盘在头上，帽顶凸出之雅号）的速成科，其次是岩仓铁道明治法政的专门科，认定他们的目的是专在升官发财的，恰巧那里的客有些是这一路的人，虽然没有“富士山”的那么面目可憎，却是语言很是无味，特别是有一个他们同伴叫他法豪的，白痴似的大声谈笑，隔着两间房听了也难免要发火。尤其是他们对于洗浴有兴趣，只要澡堂一烧好，他们就自钻了进去，不依照公寓的规则。那时鲁迅是老房客，照例公寓要先来请他，每次却都被法豪辈抢了去，他并不一定要去洗，但这很使他生气，所以决心移到别处去了。

二　中越馆

鲁迅第二次寄居的地方仍在本乡，离伏见馆不远，叫作东竹町，原是一家人家，因为寄居的客共有三人，警察一定要以公寓论，所以后来挂了一块中越馆的招牌。主人是一个老太婆，带了她的小女儿，住在门内一间屋里，西边两大间和楼上一间都租给人住，地点很是清静，可是房饭钱比较贵，吃食却很坏。有一种圆豆腐，中间加些素菜，径可两寸半，名字意译可云素天鹅肉，本来也可以吃，但是煮的不入味，又是三日两头的给吃，真有点吃伤了，鲁迅只好随时花五角钱，自己买一个长方罐头腌牛肉来补充。那老太婆赚钱很凶，但是很守旧规矩，走进屋里拿开水壶或是洋灯来的时候，总是屈身爬着似的走路。这爬便很为鲁迅所不喜欢，可是也无可奈何她。那小女儿名叫富子，大概是小学三四年级生，放学回来倒也是很肯做事的，晚上早就睡觉，到了十点钟左右，老太婆总要硬把她叫醒，说道："阿富，快睡吧，明天一早要上学哩。"其实她本来是睡着了的，却被叫醒了来听她的训诲，这也是鲁迅所讨厌的一件事，好在阿富并不在乎，或者连听也不大听见，还是继续她的甜睡，这事情就算完了。

三　中越馆二

在中越馆里还有一个老头儿，不知道是房东的兄弟还是什么，白天大抵在家，屋角落里睡着，盖着一点薄被，到下午便不见了。鲁迅睡得很迟，吃烟看书，往往要到午夜，那时听见老头儿回来了，一进来老太婆便要问他今天哪里有火烛。鲁迅当初很觉奇怪，给他绰号叫“放火的老头儿”，事实自然并非如此，他乃是消防队瞭望台的值夜班的，时间大概是从傍晚到半夜吧。这公寓里因为客人少，所以这一方面别无问题。

楼上的房客是但焘，他是很安静的，虽然他的同乡刘麻子从美国来，在他那里住了些时，闹了点不大不小的事件。有一天刘麻子外出，晚上没有回来，大门就关上了，次早房东起来看时，门已大开，吓了一跳，以为是着了贼，可是东西并没有什么缺少，走到楼上一看，只见刘麻子高卧未醒，原来是他夜里并未叫门，不知怎么弄开了就一直上楼去了。又有一次，拿着梳子梳发，奔向壁间所挂的镜面前去，把中间的火钵踢翻了，并不回顾，还自在那里理他的头发，由老太婆赶去收拾，虽然烧坏了席子，总算没有烧了起来。不久他离开中越馆，大概又往美国去了吧，于是这里边的和平也就得以恢复了。

四　中越馆三

东竹町在顺天堂病院的右侧，中越馆又在路右，讲起方向来，大概是坐北朝南吧。鲁迅住的房子是在楼下，大小两间，大的十席吧，朝西有一个纸窗，小的六席，纸门都南向，人家住房照例有板廊，外边又有曲尺形的一个天井，有些树木，所以那西向的窗户在夏天也并不觉得西晒。平常有客来，都在那大间里坐，炭盆上搁着开水壶，随时冲茶倒给客人喝。大概因为这里比较公寓方便，来的客也比以前多了，虽然本来也无非那几个人，不是亡命者，便是懒得去上学的人，他们不是星期日也是闲空的。这里主要的是陶焕卿，龚未生，陈子英，陶望潮这些人，差不多隔两天总有一个跑来，上天下地的谈上半天，天晴雨雪都没有关系，就只可惜钱德潜那时没有加入，不然更要热闹了，他也是在早稻田挂名，却是不去上课的。谈到吃饭的时候，主人如抽斗里有钱，买罐头牛肉来添菜，否则只好请用普通客饭，大抵总只是圆豆腐之外一木碗的豆瓣酱汤，好在来访的客人只图谈天，吃食本不在乎，例如陶焕卿即使给他一杯燕菜他也当作粉条喝下去，不觉得有什么好的。在这四五年中间，中越馆这一段虽然过的也是穷日子，大概可以算是最萧散了吧。

五　伍舍

假如不是许寿裳要租房子，招大家去品住，鲁迅未必会搬出中越馆，虽然吃食太坏，他常常诉苦说被这老太婆做弄（欺侮）得够了。许寿裳找到了一所夏目漱石住过的房子，在本乡西片町十番地乙字七号，硬拉朋友去凑数，鲁迅也被拉去，一总是五个人，门口路灯上便标题曰伍舍，鲁迅于一九〇八年四月八日迁去，因为那天还下雪，所以日子便记住了。

那房子的确不错，也是曲尺形的，南向两间，西向两间，都是一大一小，即十席与六席，拐角处为门口，另有下房几间，西向小间住了钱某，大间作为食堂客堂，鲁迅住在南向小间里，大间里是许与朱某，这一转换不打紧，却使得鲁迅本来不宽裕的经济更受了影响，每月入不敷出，因为房租增加了，饭食虽是好了，可是负担也大，没有馀力再到青木堂去喝杯牛奶果子露了。这样支撑着过了年，同居人中间终于发生了意见，钱朱二人提议散伙，其馀三人仍在一起，在近地找了一所较小的房屋搬了过去，还是西片町十番地，不过是丙字十九号罢了。在乙字七号虽然住了不到十个月，但也有些事情可以记录，这且在下一次再说吧。

六 校对

鲁迅那时的学费是年额四百元，每月只能领到三十三元。在伍舍居住时就很感不足，须得设法来补充了。译书因为有上海大书局的过去经验，不想再尝试，游历官不再来了，也没有当舌人的机会，不得已只好来做校对。适值湖北要翻印同文会所编的《支那经济全书》，由湖北学生分担译出，正在付印，经理这事的陈某毕业回去，将未了事务托许寿裳代办，鲁迅便去拿了一部分校正的稿来工作。

这报酬大概不会多，但没有别的法子，总可以收入一点钱吧。有一处讲到纳妾的事，翻译的人忽然文思勃发，加上了许多话去，什么小家碧玉呀，什么河东狮吼呀，很替小星鸣其不平，鲁迅看了大生其气，竟逸出校对范围之外，拿起红墨水笔来，把那位先生苦心写上去的文章都一笔勾消了。平常文字有不通顺处也稍加修改，但是那么的大手术却只此一次而已。

担任印刷的是神田印刷所，派来接洽的人很得要领，与鲁迅说得来，所以后来印《域外小说集》，也是叫那印刷所承办的。鲁迅给《河南》杂志写文章，也是住在那里时的事情。

七 青木堂

青木堂在东大赤门前东头，离汤岛很近，夏天晚上往大学前看夜店，总要走过他门口，时常进去喝一杯冷饮。那时大概还不时行冰激淋，鲁迅所喝的多是别一种东西，用英语叫作密耳克舍克，可以译为摇乳吧，将牛乳鸡蛋果子露等放玻璃杯内，装入机器里摇转一会儿，这就成了。那里有各种罐头瓶头，很是完备，鲁迅常买的不过是长方罐的腌牛肉，只有一回买过特别货色，是一个碗形的罐，上大下小，标题土耳其鸡与舌头，打开看时，上面是些火鸡的白肉，底下是整个的牛舌头，不，整个怕装不下，或者是半个吧？鲁迅对于西餐的“冷舌头”很是赏识，大概买的目的是如此，却连带的吃了火鸡，恐怕也就只是这一次罢了。价格是一元半，在那时要算是很贵了。此外又买过两次猪肉的“琉球煮”，其实煮法也不特别，大抵同中国差不多，其不搁糖的一点或者更与绍兴相似，但是后来就不见了，原因当是不受主顾的欢迎。多年之后看到讲琉球生活的书，说那边的厕所很大，里边养着猪，与河北定县情形相同，二者都有中山之称，觉得很是巧合，但也因此想到那“琉球煮”的猪肉不能销行，未必不与这事无关。孙伏园昔在定县请客吃猪肚，经他的大世兄一句话说穿，主客为之搁箸，正是一个很好的例证。

八　学俄文

鲁迅学俄文是在一九〇七年的秋天吧，那时住在中越馆，每晚徒步至神田，路不很远，次年春迁居西片町，已经散伙，实在路远也不能去了。这事大概是由陶望潮发起，一共六个人，其中只有陈子英后来还独自继续往读，可以看书，别的人都半途而废了。教师是马理亚孔特夫人，这姓是西欧系统，可能是犹太人，当时住在日本，年纪大约三十馀岁，不会说日本话，只用俄语教授，有一个姓山内的书生（寄食主人家，半工半读的学生），是外国语专门学校的肄业生，有时叫来翻译，不过那些文法上的说明大家多已明白，所以山内屡次申说，如诸位所已经知道，呐呐的说不好，来了一两天之后便不再来了。大家自已用字典文法查看一下，再去听先生讲读，差不多只是听发音，照样的念而已。俄文发音虽然不算容易，总比英语好，而且拼字又很规则，在初学只是觉得长一点，不知怎的有一位汪君总是念不好，往往加上些杂音去，仿佛起头多用“仆”字音，每听他仆仆的读不出的时候，不但教师替他着急，就是旁边坐着的许寿裳和鲁迅也紧张得浑身发热起来，他们常玩笑说，上课犹可，仆仆难当。汪君是刘申叔的亲戚，陶望潮去拉来参加的，后来在上海为同盟会人所暗杀，那时刘申叔投效在端方那里，汪君的死大概与此有关。

九 《民报》社听讲

鲁迅住在东竹町的时候，由陶望潮发起，往神田到一个俄国女人那里学俄文，因学费太贵（其实也只每月五元）而中止，在伍舍时由龚未生发起，往小石川到《民报》社请章太炎先生讲《说文》，到了伍舍散伙时，那一班也几乎拆散了。结果是钱某走了，搬到丙字十九号的三人还继续前去，可是这也没有多久也就中止，因为许寿裳与鲁迅于四五月间陆续回国，往杭州两级师范学堂去当教员。鲁迅所担任的生理学，有油印讲义尚存，许寿裳为题字曰“人生象学”，学字右边有反文，一眼看去像是教字。那时的校长（大概是称作监督吧）是沈衡山先生，他是浙江前辈翰林，可是对人非常谦恭，说话时常说“钧儒以为”怎么样，后来鲁迅还时常说及这事。教员有好些是太炎的学生，民国成立后多转入浙江教育司办事，初任司长也就是沈衡山，有一部人则跟了蔡孑民进了教育部，如许寿裳，鲁迅均是。在教育司的人逐渐向北京走，进了高等师范和北京大学，养成许多文字音韵学家，至今还是很有势力。养成学者是好事情，但是展转讲学，薪传不绝，而没有做得出总结来，使文字学研究有一个结果，让不预备专攻深入的人，能够知道大略，这也可以说是一个缺陷吧。

一〇 《民报》社听讲二

往《民报》社听讲《说文》，是一九零八至九年的事。太炎在东京一面主持《民报》，一面办国学讲习会，借神田的大成中学讲堂定期讲学，在留学界很有影响。鲁迅与许寿裳与龚未生谈起，想听章先生讲书，怕大班太杂沓，未生去对太炎说了，请他可否星期日下午前在《民报》社另开一班，他便答应了。伍舍方面去了四人，未生和钱夏，朱希祖，朱宗莱都是原来在大成的，也跑来参加，一总是八个听讲的人。《民报》社在小石川区新小川町，一间八席的房子，当中放了一张矮桌子，先生坐在一面，学生围着三面听，用的书是《说文解字》，一个字一个字的讲下去，有的沿用旧说，有的发挥新义，鲁迅曾借未生的笔记抄录，其第一卷的抄本至今尚存。太炎对于阔人要发脾气，可是对学生却极好，随便谈笑，同家人朋友一样，夏天盘膝坐在席上，光着膀子，只穿一件长背心，留着一点泥鳅须，笑嘻嘻的讲书，庄谐杂出，看去好像是一尊庙里的哈喇菩萨。中国文字中本来有些素朴的说法，太炎也便笑嘻嘻的加以申明，特别是卷八尸部中尼字，据说原意训近，即后世的昵字，而许叔重的话很有点怪里怪气，这里也不能说得更好，而且又拉上孔夫子的尼丘来说，所以更是不大雅驯了。

一一 《民报》案

在往《民报》社听讲的期间，《民报》被日本政府所禁止了。原因自然由于清政府的请求，表面则说是违反出版法，因为改变出版人的名义，没有向警厅报告，结果是发行禁止之外，还处以百五十元的罚金。《民报》虽说是同盟会的机关报，但孙中山系早已不管，这回罚金也要章太炎自己去付，过期付不出，便要一元一天拉去作苦工了。到得末了一天，龚未生来找鲁迅商量，结果转请许寿裳挪用了《支那经济全书》译本的印费一部分，这才解了这场危难。为了这件事，鲁迅对于孙系的同盟会很是不满，特别后来孙中山叫胡汉民等在法国复刊《民报》，仍从禁止的二十四期起，却并未重印太炎的那一份，而且从新写过，更显示出他们偏狭的态度来了。

《民报》的文章虽是古奥，未能通俗，大概在南洋方面难得了解，但在东京及中国内地的学生中间力量也不小。太炎的有些文章，现在收在《章氏丛书》内，只像是古文，当时却含有革命意义的，鲁迅的佩服太炎可以说即在于此，即国学与革命这两点。太炎去世以后，鲁迅所写的纪念文章里面，把国学一面按下了，特别表彰他的革命精神，这正是很有见地的。知道太炎的学问，把他看作旧学的祖师极是普通，称赞他的革命便知道的更深了，虽然如许寿裳那么说他是国民党二杰之一，那也是不对的。

一二　蒋抑卮

鲁迅移居西片町后，来客渐稀少，因为路稍不便，离电车站大概有两里路，而且房间狭窄，客室系公用，又与钱某住房连接，所以平常就不去使用它。丙字十九号也是差不多的情形，但那时却来了不速之客，是许寿裳鲁迅的友人，主人们乃不得不挤到一大间里去，把小间让出来给客人住。来者是蒋抑卮夫妇二人，蒋君因耳朵里的病，来东京就医，在那里寄住几时之后，由许君为他①在近地找了一所房子，后来就搬过去了。因为也是西片町十号，相去不远，除了中间进病院割治之外，几乎每天跑来谈天，那时许君已在高师毕了业，鲁迅则通常总是在家的。蒋君家里开着绸缎庄，自己是办银行的，可是人很开通，对于文学很有理解，在商业界中是很难得的人。癸卯（一

【蒋校】

①“他”字原漏。

九〇三）年秋间鲁迅在杭州遇见伍崇学（矿路同班），一同到上海，寄寓在十六铺一家水果行里，主人名张芝芳，是伍君的友人，也很开通，那时出版的新书他都购读，虽然鲁迅只在那里住了三天，后来也没有往还，却也值得记述，或者比蒋君更为难得亦未可知，因为蒋抑卮原是秀才，其能了解新学不算什么稀奇吧。

一三　“眼睛石硬”

鲁迅自己在日本留学，对于留学生的态度却很不敬，有人或者要奇怪，这岂不是有点矛盾么？其实这并不然。鲁迅自从仙台医校退学之后，决心搞文学，译小说，办杂志，对于热中于做官发财的人都不大看得起，何况法政，铁路以至速成师范，在他看来还不全是目的只在弄钱么？

可是留学生之中又以这几路的人为最多，在各种速成班没有停办之前，东京一处的留学生人数超过二万以上，什九聚在神田和早稻田两处，每到晚上往表神保町（神田）一看，只见街上行走的人大半是留学生而且顶上大都有“富士山”的。这是一条新旧书店会萃的街，鲁迅常要去逛，可是那里偏遇着这许多憧憧往来各式各样的怪人，使他看了生气，时常对许寿裳诉说，其普通的一句恶骂是“眼睛石硬”。这四个字用在那时的许多仁兄上的确非常切贴而且得神，但是现在似乎过了时，要想找一个代表出来恐怕很不容易，辛亥革命以来这四十年间，虽然教育发达不快，却是已发生了效力，在这下一代中已经不大有眼睛石硬的人了。在那时候，鲁迅的愤慨确是无怪，如今讲起来已成陈迹，这在中国正是一件好事情，大可以纪念的。

一四　同乡学生

鲁迅在东京时的朋友，除上边说及的那些人之外，同乡中间有邵明之名文镕，蔡谷清名元康，陈公侠名毅，后改名仪，还有一个张承礼，杭州人，也是学陆军的，有一张武装的照片送给鲁迅，后来死于戴戡之难。南京矿路的同学一同出去的有张邦华，伍崇学，顾琅三人，只有张君有时来访，顾虽曾经属鲁迅编译《中国矿产志》，二人列名出版，可是以后却不来往了。鲁迅常外出逛书店，却不去访问友人，只等他们来谈，只有蒋观云尚未组织政闻社的时候，住在本乡的什么馆，他曾去问候他过。他没有日本的朋友，只是在一九〇六年秋冬之交，他去访一次宫崎寅藏，即随同孙中山革命的白浪庵滔天，他的《三十三年落花梦》其时中国早有译本了，原因是那年有人托带一件羊皮背心，一个紫砂茶壶，给在东京留学的吴女士，由宫崎转交，所以他特地送了去，大概他们谈得很好，所以这以后不久又到堺利彦等人所办的《平民新闻》社去访问他，因为宫崎住的很远，约他在那里相见的吧。这以后没有来往，直到多少年后宫崎的侄儿龙介和夫人白莲在上海看见他，题诗相赠，其时白浪庵恐已早归道山了。

一五　日常生活

鲁迅在东京的日常生活，说起来似乎有点特别，因为他虽说是留学，学籍是独逸语学会的独逸语学校，实在他不是在那里当学生，却是在准备他一生的文学工作。这可以说是前期，后期则是民初在北京教育部的五六年。他早上起得很迟，特别是在中越馆的时期，那时最是自由无拘束。大抵在十时以后，醒后伏在枕上先吸一两枝香烟，那是名叫“敷岛”的，只有半段，所以两枝也只是抵一枝罢了。盥洗之后，不再吃早点心，坐一会儿看看新闻，就用午饭，不管怎么坏吃了就算，朋友们知道他的生活习惯，大抵下午来访，假如没有人来，到了差不多的时候就出去看旧书，不管有没有钱，反正德文旧杂志不贵，总可以买得一二册的。

有一个时期在学习俄文，晚饭后便要出发，徒步走到神田骏河台下，不知道学了几个月，那一本俄文读本没有完了，可见时间并不很长。回家来之后就在洋油灯下看书，要到什么时候睡觉，别人不大晓得，因为大抵都先睡了，到了明天早晨，房东来拿洋灯，整理炭盆，只见盆里插满了烟蒂头，像是一个大马蜂窠，就这上面估计起来，也约略可以想见那夜是相当的深了。

一六　旧书店

鲁迅平常多看旧书店，假如怀中有点钱的时候，也去看新书，西文书是日本桥的丸善和神田的中西屋，德文则本乡的南江堂，但是因为中西屋在骏河台下，时常走到，所以平时也多进去一转，再到东京堂看日本新刊书与杂志。至于文求堂的中文旧书就难得去买，曾以六元购得《古谣谚》二十四册，不能算贵，大概只是那时不需要罢了。旧书店中大抵都有些西文书，比较多的有郁文堂和南阳堂总分店，都在本乡，那一家总店在水道桥迤北，交通便利，鲁迅与许寿裳便经常去看看，回寓后便说不知道又是哪一个小文学家死了，因为书架上发现了些新的文学书，说这话时很有点幽默气，可是内里也是足够悲惨的，在这里就可以知道当时文人的苦况了。旧书店以神田为最多，其次是本乡，大概因为神田学生太多良莠不齐的缘由吧，那里的书店老板与小伙计也更显得精明，跪坐在账桌一隅，目光炯炯，监视着看书的人，鲁迅说这很像是大蜘蛛蹲踞在网中心，样子很有点可怕，这个譬喻实在比“蹲山老虎”还要得神。交易几回，有点熟识了，自然就好得多，特别是真砂町相模屋的主人小泽，书虽不多，却肯替人往丸善取书（因为他曾在那里当过学徒），与鲁迅很要好，有许多西书都是由他去托丸善往欧洲去买来的。

一七　服装

鲁迅在弘文学院与仙台医专的时代，当然穿的是制服，但是后来在东京就全是穿和服，大概只在丙午年从中国出来，以及己酉年回国去的时候，才改了装，那也不是西服，实在只是立领的学生装罢了。他平常无论往哪里去，都是那一套服色，便帽即打鸟帽，和服系裳，其形很像乡下农民冬天所着的拢裤，脚下穿皮靴。除了这皮靴之外，他的样子像是一个本地穷学生，在留学生中间也有穿和服的，但不是耸肩曲背，便很显得拖沓臃肿，总不能那么服贴。但闲中去逛书店，或看夜市，也常穿用木屐，这在留学生中也很少见，因为他们多把脚包得紧紧的，足指搭了起来，运动不灵，穿不上木屐了。

和服都是布做的，衬衫之外，有单夹棉（极薄）三套，又有一件外衣，也是夹的，冬天加在上边，裤则只是短裤，别人也有穿绒布长脚衬裤的，他却一直不用。东京冬天的气候大抵与上海差不多，他便是那么的对付过去。棉被一垫一盖，是日本式的，盖被厚而且重，冷天固然合用，春秋两季也一样的使用，并没有薄棉被。这些衣被都是以前所有的，在东京这几年中间差不多没有添置什么东西。

一八　落花生

传说鲁迅最爱吃糖，这自然也是事实，他在南京的时候常常花两三角钱到下关“办馆”买一瓶摩尔登糖来吃，那扁圆的玻璃瓶上面就贴着写得怪里怪气的这四个字。那时候这糖的味道的确不差，比现今的水果糖仿佛要鲜得多，但事隔四五十年，这比较也就无从参证了。鲁迅在东京当然糖也吃，但似乎并不那么多，倒是落花生的确吃得不少，特别有客来的时候，后来收拾花生壳往往是用大张的报纸包了出去的。假如手头有钱，也要买点较好的吃食，本乡三丁目的藤村制的栗馒头与羊羹（豆沙糕）比较名贵，今川小路的风月堂的西洋点心，名字是说不出了。有一回鲁迅买了风月堂新出的一种细点来，名叫乌勃利，说是法国做法，广告上说什么风味淡泊，觉得很有意思，可是打开重重的纸包时，簇新洋铁方盒里所装的只是二三十个乡下的“蛋卷”，不过做得精巧罢了。查法文字典，乌勃利原意乃是“卷煎饼”，说得很明白，事先不知道，不觉上了一个小当。

在本乡一处小店里曾买到寄售的大垣名产柿羊羹，装在对劈开的毛竹内，上贴竹箬作盖，倒真是价廉物美，可是买了几回之后，却再也不见了，觉得很是可惜，虽然这如自己试做，也大概可以做成功的。

一九 酒

鲁迅酒量不大，可是喜欢喝几杯，特别有朋友对谈的时候，例如在乡下办师范学堂那时，与范爱农对酌，后来在北京S会馆，有时也从有名的广和居饭馆叫两样蹩脚菜，炸丸子与酸辣汤，打开一瓶双合盛的五星啤酒来喝。但是在东京却不知怎的简直不喝，虽然蒲桃酒与啤酒都很便宜，清酒不大好吃，那也算了。只是有一回，搬到西片町不久，大概是初秋天气，忽然大家兴致好起来，从近地叫作一白舍的一家西洋料理店要了几样西餐来吃，那时喝了些啤酒。后来许寿裳给他的杭州朋友金九如饯行，又有一次聚会，用的是中国菜，客人恭维说，现在嘴巴先回到中国了。陪客邵明之引用典故，说这是最后之晚餐了，大为主人所非笑，但那时没有什么酒，不知是什么缘故。鲁迅不常在外边吃饭，只是有时拉许寿裳一二人到神乐坂去吃“支那料理”，那是日本人所开的，店名记不得了，菜并不好，远不及维新号，就只是雅座好，尤其没有“富士山”，算是一件可取的地方。在我看来，实在还是维新号好得多，他的嘈杂也只是同东安市场的五芳斋相仿，味道好总是实惠，吃完擦嘴走出就完了。鲁迅在北京也上青云阁喝茶吃点心，可见他的态度随后也有改变了。

二〇 矮脚书几

留学生多不惯席地而坐，必须于小房间内摆上桌椅，高坐而看法政讲义，最为鲁迅所讥笑，虽然在伍舍时许、朱、钱诸公也都是如此的。他自己只席地用矮脚书几，别人的大抵普通是三尺长，二尺宽吧，他所用的却特别小，长只二尺，宽不到一尺半，有两个小抽斗，放剪刀，表和零钱，桌上一块长方的小砚台，上有木盖，是日本制一般小学生所用，墨也是日本制品，笔却是中国的狼毫水笔，不拘什么名称，大概是从神田的中国店里买来的。纸则全是用的日本纸，预备办《新生》杂志的时候，特别印了些稿纸，长方一张，十四行每行三十四字，纸是楮质，格子不大，毛笔写起来不大合式，如用自来水笔，倒还适宜，但他向不用这类笔，便是开单托书店买西文书，也还是拿毛笔写德国字。

杂志办不成，稿纸剩得不少，后来也没有什么用处。平常抄文章，总用一种蓝印直行的纸，店里现成的很多，自己打格子衬着写，多少任意，比较的方便。大部的翻译小说，有十万多字的《劲草》和《红星佚史》，都是用这种稿纸，在那小书桌上抄录出来的。后者卖掉了，前者退了回来，在别处也碰了两个钉子，终于下落不明。

二一 《劲草》

《劲草》这部小说是从英文翻译出来的，英文名为《可怕的伊凡》，是讲伊凡四世时的一部历史小说。原作者是俄国的亚历舍托尔斯泰，比那老托尔斯泰还要早，他著作不多，这书却很有名，原来的书名是“克虐兹舍勒勃良尼”，译意可以说是“银公爵”。克虐兹的英译是泼林斯，普通多称亲王，不过亲王总该是王族，所以异姓的泼林斯应是公爵吧，舍勒勃良尼意云银，他是里边的主人公，忠义不屈，所以中文译本改称书名为“劲草”，意思是表彰他，实在那书中的主人公也本不是伊凡。伊凡四世是俄国史上有名的暴君，后人批评他说恐怕有点神经病，因为他的凶残与虔敬都是异乎寻常的。他虽不是主脚，却写得特别好，与那怯弱迷信的，能在水桶里看出未来的磨工是好一对，书里有好些紧张或幽默的场面，令人不能忘记，在稿子遗失之后，鲁迅有时提起磨工来，还觉得很有兴趣。

这书抄好，寄给某书店去看，说已经有了，便退了回来，后来那边出了一部《不测之威》，即是此书的另一译本。民国以后鲁迅把《劲草》拿给别家书店看过，当然没有希望，有人说什么报上可以登，乃改名为《银公爵》，交了过去，也没有消息。这事大概在民五吧，已是三十五年前事，那部蓝格抄本就从此杳如黄鹤了。

二二 《河南》杂志

鲁迅的《新生》杂志没有办起来，或者有人觉得可惜，其实退后几年来看，他并不曾完全失败，只是时间稍为迟延，工作也分散一点罢了。所想要翻译介绍的小说，第一批差不多都在《域外小说集》第一、二两册上发表了，这是一九〇八至〇九年的事；一九〇八年里给《河南》杂志写了几篇文章，这些意思原来也就是想在《新生》上发表的。假使把这两部分配搭一下，也可以出两三本杂志，问题只是这乃是清一色，若是杂志，总得还有拉来的稿子吧。他虽是替河南省份的刊物写文章，说的还是自己的话，至少是《文化偏至论》与《摩罗诗力说》，在《新生》里也一定会得有的，因为这多是他非说不可的话。他那时顶佩服拜伦，其次是匈牙利、俄国、波兰的爱国诗人，拜伦在英国被称为撒但派诗人，也即是恶魔派，不过魔字起于梁武帝，以前只用音译摩罗，这便是题目的由来。本来想从拜伦、谢理讲到别国，可惜没有写全。许寿裳也写有文章，是关于历史的吧，也未写完。他写文章很用心，先要泡好茶，买西洋点心来吃，好容易寄一次稿，得来的稿费就所馀无几了。他写好文章，想不出用什么笔名，经鲁迅提示，用了“旒其”二字，那时正在读俄文，这乃是人民的意义云。

二三 《新生》

鲁迅的《新生》杂志终于没有办成，但计划早已定好，有些具体的办法也已有了。稿纸定印了不少，至今还留下有好些。第一期的插画也已拟定，是英国十九世纪画家瓦支的油画，题云“希望”，画作一个诗人，包着眼睛，抱了竖琴，跪在地球上面。英国出版的《瓦支画集》买有一册，材料就出在这里边，还有俄国反战的战争画家威勒须却庚他也很喜欢，特别其中的髑髅塔，和英国军队把印度革命者缚在炮口处决的图，这些大概是预备用在后来几期上的吧。

杂志搁浅的原因最大是经费，这一关通不过，便什么都没有办法，第二关则是人力，实在也是一个很大的问题。鲁迅当时很看重袁文薮，他们在东京谈得很好，袁就要往英国去，答应以后一定寄稿来，可是一去无消息，有如断线的风筝了。此外连他自己只有三个人，就是十分努力，也难凑得成一册杂志。那时我得到两三册安特路朗的著书，想来抄译成一篇文章，写出一节，题曰“三辰神话”，鲁迅用稿纸誊清了，等许寿裳来时传观一下，鼓励大家来动手，可是也没有什么后文。幸而报未办成，那文章也未写出发表，否则将是一场笑话，现今拿出那几本书来看，觉得根据了写“三辰神话”实在是不够的。

二四 吃茶

鲁迅的抽纸烟是有名的，又说他爱吃糖，这在东京时却并不显著，但是他的吃茶可以一说。在老家里有一种习惯，草囤里加棉花套，中间一把大锡壶，满装开水，另外一只茶缸，泡上浓茶汁，随时可以倒取，掺和了喝，从早到晚没有缺乏。日本也喝清茶，但与西洋相仿，大抵在吃饭时用，或者有客到来，临时泡茶，没有整天预备着的。鲁迅用的是旧方法，随时要喝茶，要用开水，所以在他的房间里与别人不同，就是在三伏天，也还要火炉，这是一个炭钵，外有方形木匣，灰中放着铁的三脚架，以便安放开水壶。茶壶照例只是所谓“急须”，与潮汕人吃工夫茶所用的相仿，泡一壶只可供给两三个人各一杯罢了，因此屡次加水，不久淡了，便须换新茶叶。这里用得着别一只陶缸，那原来是倒茶脚用的，旧茶叶也就放在这里边，普通顿底饭碗大的容器内每天总是满满的一缸，有客人来的时候，还要临时去倒掉一次才行。所用的茶叶大抵是中等的绿茶，好的玉露以上，粗的番茶，他都不用，中间的有十文目，二十目，三十目几种，平常总是买的“二十目”，两角钱有四两吧，经他这吃法也就只够一星期而已。买“二十目”的茶叶，这在那时留学生中间，大概知道的人也是很少的。

二五　看戏

鲁迅在乡下常看社戏，小时候到东关看过五猖会，记在《朝华夕拾》里，他对于民间这种娱乐很有兴趣，但戏园里的戏似乎看得不多。他自己说在仙台时常常同了学生们进戏馆去“立看”，没有座位，在后边站着看一、二幕，价目很便宜，也很好玩。在东京没有这办法，他也不曾去过，只是有一回，大概是一九〇七年春天，几个同乡遇着，有许寿裳、邵明之、蔡谷清夫妇等，说去看戏去吧，便到春木町的本乡座，看泉镜花原作叫做《风流线》的新剧。主人公是一个伪善的资本家，标榜温情主义，欺骗工农人等，终于被侠客打倒，很有点浪漫色彩的，其中说他设立救济工人的机关，名叫“救小屋”，实在也是剥削人的地方，这“救小屋”的名称后来为这几个人所引用，常用作谈笑的资料。还有一次是春柳社表演《黑奴吁天录》，大概因为佩服李息霜的缘故，他们二三人也去一看，那是一个盛会，来看的人实在不少，但是鲁迅似乎不很满意，关于这事，他自己不曾说什么。他那时最喜欢伊勃生（《新青年》上称为“易卜生”，为他所反对）的著作，或者比较起来以为差一点，也未可知吧。新剧中有时不免有旧戏的作风，这当然也是他所不赞成的。

二六 画谱

鲁迅在日本居住，自壬寅至己酉，前后有八年之久，中间两三年又在没有中国人的仙台，与日本学生在一起，他的语学能力在留学生中是很不差的。但是他对于日本文学不感什么兴趣，只佩服一个夏目漱石，把他的小说《我是猫》《漾虚集》《鹑笼》《永日小品》，以至干燥的《文学论》都买了来，又为读他的新作《虞美人草》定阅《朝日新闻》，随后单行本出版时又去买了一册，此外只有专译俄国小说的长谷川二叶亭，讲南欧文学的上田敏博士，听说他们要发表创作了，也在新闻上每天读那两种小说，即是《平凡》与《涡卷》，实在乃是对人不对事，所以那单行本就不再买了。他为什么喜欢夏目，这问题且不谈，总之他是喜欢，后来翻译几个日本文人的小说，我觉得也是那篇《克莱格先生》译得最好。日本旧画谱他也有点喜欢，那时浮世绘出版的风气未开，只有审美书院的几种，价目贵得出奇，他只好找吉川弘文馆旧版新印的书买，主要是自称“画狂老人”的那葛饰北斋的画谱，平均每册五十钱，陆续买了好些，可是顶有名的《北斋漫画》一部十五册，价七元半，也就买不起了。北斋的人物画，在光绪中上海出版的《古今名人画谱》（石印四册）中曾收有几幅，不过署名没有，所以无人知悉，只觉得有点画得奇怪罢了。

二七　花瓶

鲁迅从小喜欢"花书"，于有图的《山海经》《尔雅》之外，还买些《古今名人画谱》之类的石印本，很羡慕《茜窗小品》，可是终于未能买到。这与在东京买"北斋"是连贯的，也可以说是[1]他后来爱木刻画的一个原因。民国以后他搞石刻，连带的收集一点金石小品，如古钱、土偶、墓砖、石刻小佛像等，只是看了喜欢；尤其是价值不贵，这才买来，说不到收藏，有如人家买一个花瓶来放在桌上看看罢了。说到花瓶，他曾在北京地摊上买过一个，是胆瓶式的，白地蓝花，草草的几笔，说不出是什么花，那时在看讲朝鲜陶器的书，觉得这很有相像的地方，便买了来，却也未能断定究竟是否。还有一个景泰蓝的，日本名为七宝烧，是在东京买的，这可以算是他

【蒋校】

① "是"字原漏。

那时代所有的唯一的文玩。这花瓶高三寸，口径一寸，上下一般大，方形而略带圆势，里面黑色，外面浅紫，上现一枝牵牛花，下有木座，售价五角。一九〇六年东京开博览会于上野，去溜达一趟之后，如入宝山却不肯空手回，便买了这一件，放在伏见馆的矮桌上，后来几次搬家都带着走，虽然不曾插过一次花，却总在什么角落有它的一个位置。这件古董一直带到绍兴、北京，大概在十年前还曾经看到过，假如没有失掉，那么现在一定还是存在的吧（这话说得有点可笑，却是事实）。

二八　咳嗽药

鲁迅在中国时常有胃病，不知是饭前还是饭后，便要作痛，所以把桌子的抽屉拉出来，肚子靠在抽屉角上，一面在看书籍。可是在东京这病却没有了，别的毛病也没有生过，大概感冒风寒总是有的，因为他所备的药品有一瓶安知必林，那时爱司匹林锭还没有出现，这是头痛身热最好的药了。此外有一种叫作脑丸的丸药，也常预备着，这名字似乎是治脑病的什么药，其实乃是泻药的一种，意思是说泻了便头脑清爽，有如韦廉士的补丸，但是吃了不肚痛，这是它的好处。还有一样似药非药的东西，有一个时候也是常备的，这是橙皮舍利别，本是咳嗽药，但很香甜好吃，用水冲了可以当果子露用，一磅的玻璃瓶大概只卖五角钱，在果子露中也是便宜的。中国吃五加皮酒，略为有点相像，但五加皮究竟有点药味，若是茵陈烧，这就差不多了。安知必林与脑丸因为用处不多，所以长久的留存着，橙皮舍利别容易喝完，大约喝过一两瓶之后也就不再买了。在中国药房里这应该也有，大概叫作陈皮糖浆吧。夏天小孩要吃果子露，买这个来应用，至少是真的橘子皮，总比化学制品要好吧。

二九　维新号

鲁迅在东京这几年，衣食住都很随便，他不穿洋服，不用桌椅，有些留学生苦于无床，便将壁厨上层作卧榻，大为鲁迅所非笑，他自己是席上坐卧都无不可，假如到了一处地方只在地上铺稻草，他是也照样会睡的。关于吃食，虽然在《朝华夕拾》的小引中曾这样说：

> 我有一时，曾经屡次忆起儿时在故乡所吃的蔬果：菱角、罗汉豆、茭白、香瓜，凡这些都是极其鲜美可口的，都曾是使我思乡的蛊惑。

事实上却并不如是，或者这有一时只是在南京的时候，看庚子、辛丑的有些诗可以知道，至少在东京那时总没有这种迹象，他并不怎么去搜求故乡的东西来吃。神田的维新号楼下是杂货铺，罗列着种种中国好吃的物事，自火腿以至酱豆腐，可是他不曾买过什么，除了狼毫笔以外。一般留学生大抵不能那样淡泊，对于火腿总是怀念着，有一个朋友才从南京出来，鲁迅招待他住在伏见馆，他拿了一小方火腿叫公寓的下女替他蒸一下，岂知她们把它切块煮了一锅汤，他大生其气，见人便诉说他那火腿这一件事，鲁迅因此送他诨名就叫作“火腿”。这位朋友是河南人，一个好好先生，与鲁迅的关系一直很好，回国后在海军部当军法官，仍与鲁迅往还，不久病故，我就不曾在北京见到他过。

三〇　诨名

鲁迅不常给人起诨名，但有时也要起一两个，这习惯大概可以说是从书房里来的，那里的绰号并没有什么恶意，不久也公认了成了第二个名字。譬如说小麻子，尖耳朵，固然最初是有点嘲弄的意思，但是抓住特点，容易认识，真够得上说“表德”，这与《水浒》上的赤发鬼，《左传》上的黑臀正是一样的切实。鲁迅给人起的诨名一部分是根据形象，大半是从本人的言行出来的。邵明之在北海道留学，面大多须，绰号曰“熊”，当面也称之曰熊兄。陶焕卿连络会党，运动起事，太炎戏称为“焕强盗”“焕皇帝”，因袭称之为焕皇帝。蒋抑卮曰“拨伊铜钿”，吴一斋曰“火腿”，都有本事，钱德潜与太炎谈论，两手挥动，坐席前移，故曰“爬来爬去”，这些诨名都没有什么恶意。杭州章君是许寿裳的同学，听路上卖唱的，人问这唱的是什么，答说，“这是唱恋歌呀”，以后就诨名为“恋歌”。后来在教育部时，有同乡的候补人员往见，欲表示敬意，说自己是后辈，却自称小辈，大受鲁迅的训斥，以后且称此公曰“小辈”。这两个例，就很含有不敬的意思。鲁迅同学顾琅在学堂时名芮体乾，改读字音称之曰“芮体干”，虽然可以当面使用，却也是属于这一类的。

三一　南江堂

鲁迅所学的欧语是德文，原因是矿路学堂附设在江南陆师学堂里，那里是教德文的，后来进医学校也是如此，所以这就成为他的第二外国语了。在东京买德文书的地方很不多，中西屋只有英文，丸善书店德法文有一点儿，专卖德文书的仅有一家南江堂，在本乡“切通”，即是把山坡切开造成的街路，是往上野去的要道。在那里书籍很多，价目也不贵，就只可惜都是医学书，它开在那里也是专为接待医科大学的师生们的。可是它有几种德文小丛书，大都价廉物美，一种名“葛兴”的是各种学艺的总结，每册日金四角，又一种名“勒克拉谟”，纸面，每册一角至五角，看号数多少，什么书都有，不知道有几千号了。穷学生本来没有什么钱买书，这丛书最为适宜，而且其中有很难得的东西，例如鲁迅所要的弱小民族文学作品，别国不但很少，有时还很珍贵，在这里却容易得到，因为多是小册子，至多三号就是三角钱罢了。鲁迅的这一类书，可以说是他苦心收罗的成绩，看去薄薄的一本桂黄色纸面的书，当时却是托了相模屋书店交给丸善，特地写信向出版所去要来的，发单上开列好些种，一总价格却不过两三元。其中也有在旧书摊上得来的，如匈牙利人裴象飞的小说，原价一角，大概七八分钱买来的吧，订书的铁丝已烂，书页也散了，可是谁料得到这是他所顶珍重的一册书呢。

三二　德文书

鲁迅学了德文，可是对于德国文学没有什么兴趣。在东京虽然德文书不很多，但德国古典名著却容易买到，价钱也很便宜，鲁迅只有一部海涅的诗集，那两首“眸子青地丁，辅颊红蔷薇”的译诗，大概还是仙台时期的手笔，可见他对于这犹太系诗人是很有点喜欢的。奇怪的是他没有一本哥德的诗文，虽然在读本上当然念过，但并不重视他，十九世纪的作品也并没有什么。这里尼采可以算是一个例外，《察拉图斯忒拉如是说》一册多年保存在他书橱里，到了一九二〇年左右，他还把那第一篇译出，发表在《新潮》杂志上面。他常称述尼采的一句话道：“你看见车子要倒了，不要去扶它，还是去推它一把吧。”这话不知道是否在《察拉图斯忒拉》里，还是在别的书里，想起来确也有理，假如应用于旧社会、旧秩序上面。他利用德文，译了好些别国的有意义的文艺作品，有两部德文的《文学通史》也给了许多助力，这种书籍那时在英文中还是没有的。一部是三册本，凯尔沛来斯著，鲁迅所译《小俄罗斯文学略说》即取材于此，一部是一厚册，大概著者是谢来耳吧，这些里边有些难得的相片，如波兰的密支克微支和匈牙利服装的裴象飞都是在别处没有看到过的。

三三 补遗

上边所讲的事情是一九〇六至〇九年这一段，前面还有一段，即一九〇二年至〇四年，鲁迅往仙台进医学校之前，他也是在东京，不过那时的事情我可是不知道了。翻阅在南京的旧日记，有几处可以抄引，算作补遗。

光绪壬寅（一九〇二）年二月十五日，鲁迅从南京趁大贞丸出发，次日到上海，寓老椿记客栈。二月三十日东京来信云：

> 于廿六日到横滨，现住东京麹町区平河町四丁目三桥旅馆，不日进成城学校。

又言其俗皆席地而坐云。三月初六日寄来《扶桑记行》一卷，文颇长，今已不存。十三日顷来信云：

> 已进弘文学院，在牛入区西五轩町三十四番，掌院嘉纳先生治五郎，学监大久保先生高明，教习江口先生，善华文而不能语言。

五月初三日来信附有照片，背后题字云：

会稽山下之平民，日出国中之游子，弘文学院之制服，铃木真一之摄影，二十馀龄之青年，四月中旬之吉日，走五千馀里之邮筒，达星杓仲弟之英盼，兄树人顿首。

癸卯（一九〇三）年三月四日，谢西园（陆师毕业生，跟了什么人往日本看操）回国，鲁迅托他带回一只衣箱，内有不用的中国衣服和书籍，和一张“断发照相”，留学生当初大抵是留一部分头发，蟠在帽内的，后来革命运动渐益壮大，又受了“富士山”的激刺，所以终于削除了。

三四　补遗二

谢西园带回的衣箱内的那些书，日记上存有目录，计《清议报》合订八册，《新民丛报》两册，《新小说》一册，《译书汇编》四册，《雷笑馀声》一册（是什么书已忘记了），《林和靖集》两册，《真山民集》一册，《朝鲜名家诗集》一册（均活字小本线装），《天籁阁》四册（？），《西力东侵史》一册，《世界十女杰》一册，照相两张，其一是弘文学院学生全体，其一即是上回所说的断发照相。此外又记有来信说严幾道译《名学》甚好，嘱购阅，又一处云来信令购《华生包探案》，并嘱寄往日本，这书我还记得是铅字有光纸印，与哈葛得的《长生术》译本同一格式，那时或者是一起购买。这以后日记多有中断，甲辰（一九〇四）年三月中的记有至大行宫日本邮局取小包事，云书共十一册，《生理学粹》《利俾瑟战血馀腥录》《月界旅行》《旧学》等皆佳，又《浙江潮》

《新小说》等数册，灯下煮茗读之。这些都是中文书，有些英文书则无可考，只记得有一册《天方夜谈》，八大册的《嚣俄选集》，日本编印的英文小丛书，其中有亚伦坡的《黄金虫》，即为《玉虫缘》的底本，《侠女奴》则取自《天方夜谈》里的。大概因为《新小说》里登过照片，那时对于嚣俄（现译为雨果）十分崇拜，鲁迅于癸卯夏回乡时还写信给伍习之，托他在东京买新出的日译《怀旧》寄来，那也是嚣俄的一部中篇小说。

三五　补遗三

癸卯（一九〇三）年夏天鲁迅回乡一趟，那年五月以后两个多月的日记中断，下一册从七月中旬起，正记的是他离开绍兴的事，今摘抄于下：

七月十六日，余与自树既决定启行，因于午后束装登舟，雨下不止。傍晚至望江楼，少霁，舟人上岸市物，余亦登，买包子三十枚，回舟与自树大啖。少顷开船而雨又作，三更至珠岩寿拜耕家，往谈良久，啜茗而返，携得《国民日报》十数纸，于烛下读之。至四更，始睡，雨益厉，打篷背作大声。

十七日晨抵西兴埠，大雨中雇轿渡江，至杭州旅行社，在白话报馆中见汪素民诸君。自树已改装，路人见者皆甚诧异。饭后自树往城头巷医齿疾，余着呢外套冒雨往清河坊为李复九购白菊花。晚宿楼上。

十八日午前伍习之来访，云今日往上海，因约同行，下午乘舟往拱宸桥，彼已先在，包一小舱同住，舟中纵谈甚畅。

十九日雨止，下午舟抵上海，雇车至十六铺张芝芳君处，张君甬人，隐于贾，人极开通，有女数人皆入学堂，伍君与之识，因留住。晚乘马车至四马路，自树买《群学肄言》一部，芝芳邀往看戏，夜半回寓。

二十二日午自树往虹口下日本邮船，余与习之、芝芳同去，下午回寓，晚与习之乘招商局船往南京。

丙午（一九〇六）年夏又回来一次，那时没有日记，只记得往东京时有邵明之、张午楼等共四人同行，至于月日则已完全忘记了。鲁迅是《新青年》以后的笔名，那时的别号是自树，索士（或索子），今依日记原文，仍用自树这个名字。

第四分　补树书屋旧事

一　缘起

前几时有一位在东北远处的中学教员写信来问我，鲁迅“抄碑文”的目的何在，方法如何等等，我仔细的写了一封信回答了他。话虽如此，也不见得能说得仔细，那是民国初年的事情，年代相隔颇久了，有如书桌的一只多年不用的抽屉，里边收着的东西多半忘记了，抽开来翻一下，才能慢慢的回想出来。因了谈抄碑文，我把绍兴县馆的一段旧事记了起来，因为抄碑的工作都是在县馆的补树书屋所做的，有些事情比较记得清楚的，略记数则，总名便叫作“补树书屋旧事”。

绍兴县馆原名山会邑馆，是山阴会稽两县的会馆，绍兴府属八县另有会馆在虎坊桥，名为越中先贤祠，清末废除府制，府城内的山会两县合并为绍兴县，这邑馆也就改称为绍兴县馆了。不明白是什么缘故，有些人不喜欢绍兴这名称，鲁迅也是一人，他在文章中常称这县馆为S会馆，人问籍贯也总只说是浙江。虎坊桥的会馆名为越中先贤祠，难道李越缦等人也是这个意思么？前清时因为部吏和师爷的关系，绍兴人在北方民间少有好感乃是实情，但鲁迅等人的讨厌绍兴的名称或者还是因为小康王的关系，在杭州设了小朝廷，还要摆架子自称绍兴，把这庸俗的年号硬给人做地名，这的确是有点可厌的。

二　会馆

绍兴县馆在宣武门外南半截胡同北头，这地段不算很好，因为接近菜市口，幸而民国以后不在那里杀人了，所以出入总还是自由清净的。会馆在路西，门额是魏龙藏所写，他是鲁迅的父亲伯宜公的朋友，或是同案的秀才吧，伯宜公曾几次说起他过，但他一直在外，在写匾时不知是否在张勋的幕中。进门往南是一个大院子，正面朝东一大间，供着先贤牌位，这屋有名称，仿佛是仰蕺堂之类，却不记得了，里边是什么样子我也不知道，因为平时关闭着，一年春秋两次公祭，择星期日举行，那一天鲁迅总是特别早起，在十点前逃往琉璃厂，在几家碑帖店聊天之后，到青云阁吃茶和点心当饭，午后慢慢回来，那公祭的人们也已散胙回府去了。这堂屋南偏有一条小弄堂，通到堂后的小院子，往北跨过一个圆洞门，那里边便是补树书屋了。

顺着弄堂再往前去，后面还有房屋，我也没有去看过，虽然是在前一进里住过三年。那大概是一间楼房，因为这名为希贤阁，恐怕是供着什么文昌魁星之类吧，向来空着没有人住。我不知道仰蕺堂而记得希贤阁的名字，这是另有理由的，因为在旧日记中记有这个名字。民国六年七月一日张勋复辟，不久讨逆军进逼京城，城里的人纷纷逃难，有同乡的官僚来住在阁下，大家不答应，要赶他出去，因此那阁名也就记了下来了。

三 树

会馆里的住人要驱逐逃难的官僚，本来也是小事，但是这与补树书屋很有关系，所以要说一下。旧日记云：

七月六日晴，下午客来谈。傍晚闷热。菖蒲溇谢某携妾来住希贤阁下，同馆群起责难，终不肯去，久久始由甘某调停，暂住一夕。

大家反对的理由并不在官僚，而是由于携妾，因为这会馆是特别有规定，不准住家眷以至女人的，原因是在多少年以前有一位姨太太曾经在会馆里吊死了。吊死的地方即是补树书屋，不在屋里而是在院子里的槐树上，现在圆洞门里边一棵大槐树，妇女要上吊已经够不着了，但在几十年前那或者正是刚好，所以可能便是那一棵树。这女吊的故事害得谢某不得不狼狈的搬出，可是对于鲁迅却不无好处，因为因此那补树书屋得以保留，等他来住，否则那么一个独院，早就被人占先住了去了。这院子前面是什么堂，后边是希贤阁，差不多处在鬼神窝中，原是够偏僻冷静的，可是住了看也并不坏，槐树绿阴正满一院，实在可喜，毫无吊死过人的迹象，缺点只是夏秋之交有许多槐树虫，遍地乱爬，有点讨厌，从树上吐丝挂下来的时候，在空中摆荡，或戏称之曰“吊死鬼”，这又与那故事有点关联了。“补树”不知道是什么故典，难道这有故事的槐树就是补的么？总之这院子与树那么有关系，是很有意思的一件事。

四　抄碑的房屋

补树书屋本身是朝东一排四间房屋，在第二间中间开门，南首住房一间，北首两间相连。院中靠北墙是一间小屋，内有土炕，预备给佣工居住，往东靠堂屋背后一条狭弄内是北方式的便所，即是蹲坑。因为这小屋突出在前面，所以正房北头那一间的窗门被挡住阳光，很是阴暗，鲁迅住时便索性不用，将隔扇的门关断，只使用迤南的三间。

这里边的情形，我所能说的只是在民国六年春天我到北京以后所看见的事，以前自然是别一种布置，可是我不知道，所以没有什么可说。

鲁迅在搬到补树书屋之前，还在会馆北部的什么藤花馆住过，但那我更不能知道，或者去查鲁迅自己的日记，可以得知年月大概。鲁迅日记已经发表，有些事情我不再去查考援引它，因为那已是周知的文献，用不着再来做文抄公的工作，这里只是凭自己的见闻记忆来说，说不定会有点出入。抄碑文的事开始于民国四年，我那时也不在北京，但这抄碑一直抄到民国八九年，有一大段是我看见的，所以可以一说。

五　抄碑的目的

鲁迅抄碑就在补树书屋那两间房里，当初是在南偏，后来移到北边的一间去了。他从民国元年被蔡孑民招了去，在南京临时政府的教育部里任职，随后跟了教育部移到北京来，一直是佥事兼科长，不曾有什么调动。洪宪帝制活动时，袁世凯的特务如陆建章的军警执法处大概继承的是东厂的统系，也着实可怕，由它抓去失踪的人至今无可计算。北京文官大小一律受到注意，生恐他们反对或表示不服，以此人人设法逃避耳目，大约只要有一种嗜好，重的嫖赌蓄妾，轻则玩古董书画，也就多少可以放心，如蔡松坡之于小凤仙，是有名的例。教育部里鲁迅的一班朋友如许寿裳等如何办法，我是不得而知，但他们打麻将总是在行的，那么即此也已可以及格了，鲁迅却连大湖（亦称挖花）都不会，只好假装玩玩古董，又买不起金石品，便限于纸片，收集些石刻拓本来看。单拿拓本来看，也不能敷衍漫长的岁月，又不能有这些钱去每天买一张，于是动手来抄，这样一块汉碑的文字有时候可供半个月的抄写，这是很合算的事。因为这与誊清草稿不同，原本碑大字多，特别汉碑又多断缺漫漶，拓本上一个字若有若无，要左右远近的细看，才能稍微辨别出来，用以消遣时光，是再好也没有的，就只是破费心思也很不少罢了。

六　抄碑的方法

抄碑的目的本来也是避人注意，叫袁世凯的狗腿看了觉得这是老古董；不会顾问政治的，那就好了。直到复辟打倒以后，钱玄同和他辩论那么一场之后，这才开始活动起来。那场辩论也正是在补树书屋的槐树下进行的。他的抄碑的起因既然如此，那么照理在袁世凯死后，即是从民国五年下半年起可以停止不再抄了，可是他还是继续抄下去，在民国九年给《新青年》写稿之前，他所忙着写的差不多就是碑文或是碑目。这是什么缘故呢？因为他最初抄碑虽是别有目的，但是抄下去他也发生了一种校勘的兴趣，这兴趣便持续了好几年，后来才被创作和批评的兴趣替代了去。他抄了碑文，拿来和王兰泉的《金石萃编》对比，看出书上错误的很多，于是他立意要来精密的写成一个可信的定本。他的方法是先用尺量定了碑文的高广，共几行，每行几字，随后按字抄录下去，到了行末便画上一条横线，至于残缺的字，昔存今残，昔缺而今微存形影的，也都一一分别注明。从前吴山夫的《金石存》，魏稼孙的《绩语堂碑录》，大抵也用此法，鲁迅采用这些而更是精密，所以他所预定的自汉至唐的碑录如写成功，的确是一部标准的著作，就是现存已写的一部分我想也还极有价值。

七 猫

这三间补树书屋的内部情形且来说明一下吧。中间照例是风门，对面靠墙一顶画桌，外边一顶八仙桌，是吃饭的地方，桌子都极破旧，大概是会馆的东西。南偏一室原是鲁迅住的，我到北京的时候他让了出来，自己移到北头那一间里去了。那些房屋都很旧式，窗门是和合式的，上下都是花格糊纸，没有玻璃，到了夏季上边糊一块绿的冷布，做成卷窗。我找了一小方玻璃，自己来贴在窗格里面，可以望得见圆洞口的来客，鲁迅的房里却是连冷布的窗也不做，说是不热，因为白天反正不在屋里。说也奇怪，补树书屋里的确也不大热，这大概与那槐树很有关系，它好像是一顶绿的大日照伞，把可畏的夏日都挡住了。

这房屋相当阴暗，但是不大有蚊子，因为不记得用过什么蚊香，也不曾买有蝇拍子，可见没有苍蝇进来，虽然门外面的青虫很有点讨厌。那么旧的屋里该有老鼠，却也并不见，倒是不知道谁家的猫常来屋上骚扰，往往叫人整半夜睡不着觉。查一九一八年旧日记，里边便有三四处记着“夜为猫所扰，不能安睡”。不知道鲁迅日记上有无记载，事实上在那时候大抵大怒而起，拿着一枝竹竿，我搬了小茶几，到后檐下放好，他便上去用竹竿痛打，把它们打散，但也不能长治久安，往往过一会儿又回来了。《朝华夕拾》中有一篇讲到猫的文章，其中有些是与这有关的。

八　避辫子兵

住在补树书屋这几年中间，发生过的大事件是帝制与复辟两事。民国六年的上半年黎段关系闹得很僵，结果是公民团包围议院，督军团逼迫总统，而督军团的首领又是有辫子的张勋，这情形是够吓人的了。张勋进京以后，六月末我往北大替鲁迅借《海录碎事》，去访蔡孑民，问他意见怎样，他只说"如不复辟我不离京"，但是过了三四天，即七月一日，那一天是星期日，起来得较晚，佣工送脸水来，说外边挂龙旗了。鲁迅的朋友中有些想南下，可是走不成，有些预料这事不久就了，只消避一下子，等得讨逆军起来，大家就安了心，虽然对于段的印象一直也是不好。六日有过希贤阁的一剧，便是有人从热闹地方逃到会馆来避的一例。

可是会馆地方也太偏僻，兵火不打紧，辫子兵的骚扰倒很可怕，鲁迅就同了些教育部的朋友，于七日移到东城船板胡同的新华饭店里，因为那天上午有飞机来丢了一个炸弹在宫城里面，所以情形陡然紧张起来了。十二日晨四时半，大家都还睡着，我上便所去，突然听得炮声一响，接着便大打起来，一直到下午二时枪炮声没有断绝。这中间辫子兵在天坛的先被解决，南河沿的张勋宅放火自烧，他坐汽车飞奔交民巷，投了荷兰公使馆，这一件事就完毕了。十四日从饭店搬回会馆去。这些事在鲁迅日记上当然也有记录，现在只从我所记得的来说罢了。

九　金心异

在张勋复辟之前，鲁迅继续在抄碑，别的什么事都不管，但在这事件以后，渐渐发生了一个转变，这事他自己说过，是由金心异的一场议论起来的。金心异即是林琴南送给钱玄同的别名，鲁迅文中那么说，所以这里也沿用了，虽然知道的人或者并不多了。钱玄同和鲁迅同是章太炎的学生，常看他与太炎谈论，高兴起来，指手画脚的，连坐席也会移动，所以鲁迅叫他诨名为“爬来爬去”，后来回国在浙江师范，在读音统一会，都是一起，所以本是熟识的。但是在那时代大家都是好古派，特别在文字上面，相见只有关于师友的事情可谈，否则骂一般士大夫的不通，没有多大兴趣，来往因此不多。来了这一个复辟，大家受到很大的激刺，觉得中国这样拖下去是不行的，这个趋势在《新青年》杂志上也发现了出来。

钱玄同从八月起，开始到会馆来访问，大抵是午后四时来，吃过晚饭，谈到十一二点钟回师大寄宿舍去。查旧日记八月中九日，十七日，二十七日来了三回，九月以后每月只来一回。鲁迅文章中所记谈话，便是问抄碑有什么用，是什么意思，以及末了说“我想你可以做一点文章”，这大概是在头两回所说的。“几个人既然起来，你不能说决没有毁灭这铁屋的希望”，这个结论承鲁迅接受了，结果是那篇《狂人日记》，在《新青年》次年五[①]月号发表，它的创作时期当在那年初春了。

【蒋校】

①“五”原作“四”。

一〇 《新青年》

在与金心异谈论之前，鲁迅早知道了《新青年》的了，可是他并不怎么看得它起。那年四月我到北京，鲁迅就拿几本《新青年》给我看，说这是许寿裳告诉的，近来有这么一种杂志，颇多谬论，大可一驳，所以买了来的。但是我们翻看了一回之后，也看不出什么特别的谬处，所以也随即搁下了。那时《新青年》还是用的文言文，虽然渐渐你吹我唱的在谈文学革命，其中有一篇文章还是用文言所写，在那里骂封建的、贵族的古文。总结的说一句，对于《新青年》总是态度很冷淡的，即使并不如许寿裳的觉得它谬，但是在夏夜那一夕谈之后，鲁迅忽然积极起来，这是什么缘故呢？

鲁迅对于文学革命即是改写白话文的问题当时无甚兴趣，可是对于思想革命却看得极重，这是他从想办《新生》那时代起所有的愿望，现在经钱君来旧事重提，好像是在埋着的火药线上点了火，便立即爆发起来了。这旗帜是打倒吃人的礼教！钱君也是主张文学革命的，可是他的最大的志愿如他自己所说，乃是“打倒纲伦斩毒蛇”，这与鲁迅的意思正是一致的，所以简单的一场话便发生了效力了。鲁迅小说里的被损害与侮辱的人们中间，如《明天》的单四嫂子与宝儿，《风波》里的七斤嫂与六斤，《祝福》里的祥林嫂与阿毛，都是些孤儿寡妇（七斤嫂自当除外），这色彩便很明显，在同时代的小说家中正可以说是惟一的吧。

一一　茶饭

补树书屋的南头房间西南角是床铺，东南角窗下一顶有抽屉的长方桌，迤北放着一只麻布套的皮箱，北边靠板壁是书架，并不放书，上隔安放茶叶火柴杂物以及铜元，下隔堆着新旧报纸。书架前面有一把藤的躺椅，书桌前是藤椅，床前靠壁排着两个方凳，中间夹着狭长的茶几，这些便是招待客人的用具，主客超过四人时可以利用床沿。盛夏天热时偶然把椅子搬放檐下，晚间槐蚕不吊下来了，可以凉爽些，但那是不常有的。钱玄同来时便靠在躺椅上，接连谈上五六小时，十之八九是客人说话，但听的人也颇要用心，在旧日记上往往看到睡后失眠的记事。

平常吃茶一直不用茶壶，只在一只上大下小的茶杯内放一点茶叶，泡上开水，也没有盖，请客吃的也只是这一种。饭托会馆长班代办，菜就叫长班的大儿子（算是听差）随意去做，当然不会得好吃，客来的时候到外边去叫了来。在胡同口外有一家有名的饭馆，还是李越缦等人请教过的，有些拿手好菜，如潘鱼、砂锅豆腐等，我们当然不叫，要的大抵是炸丸子，酸辣汤，拿进来时如不说明便不知道是广和居所送来的，因为那盘碗实在坏得可以，价钱也便宜，只是几吊钱吧。可是主客都不在乎，反正下饭总是行了，擦过了脸，又接连谈他们的天，直到半夜，佣工在煤球炉上预备足了开水，便径自睡觉去了。

一二　办公事

鲁迅在会馆里的工作时间大抵在夜间，晚饭后如没有来客，也是闲谈，到九十点钟回到自己的房里，动手工作，大概总到一两点钟才睡觉。第二天早上在十时前起来，照例什么点心都不吃，洗过脸喝过茶便往教育部去了。他在那里办的也只是例行公事吧，只有一回见到中华书局送到部里来请登记还是审定的《欧美小说丛刊》，大为高兴。这是周瘦鹃君所译，共有三册，里边一小部分是英美以外的作品，在那时的确是不易得的，虽然这与《域外小说集》并不完全一致，但他感觉得到一位同调，很是欣慰，特地拟了一个很好的评语，用部的名义发了出去。这样同类的事情，据我所知道，似乎此外还没有第二件。

他曾参与整理那内阁大库的有名的八千麻袋废纸的事，却不记得他讲过其中的什么故事，只是敦煌千佛洞的古写本运京的时候，他知道有些京官老爷在这劫馀的经卷中，又窃取了不少，账上数目不符，便将较长的卷子一撕作两，补足缺数。这些人都有名字，但是听他说话的人与他们都不相识，姓名生疏，大都也记不得了。

他又讲到部中常收到乡间呈文，请求旌表具呈人的母亲的节孝，有的文字还写不清楚，有将旌表写作旅表的，想见是穷乡僻壤的愚人，却是那么的迷信封建礼教，想起来实在可叹。也有呈文写得很促狭下流的，显得是讼师玩笑之笔，是《新青年》里“什么话”一栏的材料，这里只好从略了。

一三　益锠与和记

部里中午休息，鲁迅平常就不出来，买点什么东西充饥，有时候也跑到外边来吃，在手边略为有钱的时候。教育部在西单牌楼迤南，不多几步就是西单大街，吃饭很是方便，鲁迅去的有两个地方，一是益锠西餐馆，一是和记牛肉铺，益锠并没有什么特别，只是平常的一家餐馆罢了，和记在绒线胡同的拐角，也是平常的一家肉铺，可是楼上有“雅座”，可以吃东西。它的肉铺门面朝着大街，但朝北的门可以出入，走上楼梯，在一间半的屋子里有两三顶桌子，吃的都是面类，特别的清汤大块牛肉面最好。这地方外观不雅，一般的士大夫未必光临，但是熟悉情形的本地人却是知道的。

鲁迅往和记的次数也比益锠要多得多，每次必定拉了齐寿山同去，我想这地方大概是齐君告诉他的，我只记得有一次还拉了一个陈师曾同去，至于许寿裳似乎不曾同去过。过了十年之后，看见和记大举的扩充，在它的东边建造起高大的楼房来，正式开张饭馆兼旅馆，想见它在过去赚了不少的钱，可是改建之后生意似乎并不太好，不久旅馆倒闭，连那牛肉店也关门了。

鲁迅傍晚回到会馆，便吃那里的饭，除临时发起喝啤酒、茵陈酒，去叫广和居的炸丸子之外，有时在星期日叫佣工买一只鸡或肘子，白煮了来喝酒，此外添菜则有现成的酱肘子或清酱肉，以及松花即是南方的皮蛋，大抵也是喝酒时才添的。

一四　老长班

会馆的长班是一个姓齐的老人，状貌清瘦，显得是吸鸦片烟的，但很有一种品格，仿佛是一位太史公出身的候补道员。他自称原籍绍兴，这可能是的确的，不过不知道已在几代之前了，世袭传授当长班，所以对于会馆的事情是非常清楚的。他在那时将有六十岁了，同光年间的绍兴京官他大概都知道，对于鲁迅的祖父介孚公的事情似乎知道得更多。介孚公一时曾住在会馆里，或者其时已有不住女人的规定，他畜了妾之后就移住在会馆的近旁了。鲁迅初来会馆的时候，老长班对他讲了好些老周大人的故事，家里有两位姨太太，怎么的打架等等。这在长班看来，原是老爷们家里的常事，如李越缦也有同样情形，王止轩在日记里写得很热闹，所以随便讲讲，但是鲁迅听了很不好受，以后便不再找他去谈，许多他所知悉的名人轶事都失掉了，也是很可惜的。

他的大儿子算是给鲁迅当听差，住在自己家里，早出晚归，他的职务便是拿脸水、茶水，管开饭，晚上点洋灯，平时很少看见，反正长班总是在门房里的，走到外边叫一声，便来替代办事，譬如钱玄同来谈天，有时迟到一点半钟才走，那时自然更只有长班一人清醒着的了。鲁迅叫那听差诨名为公子，长班则名为老太爷，这名称倒都很是适当的。公子的下一辈似已不做长班，改从生产工业了，也是很好的事。

一五　星期日

在星期日，鲁迅大概一个月里有两次，到琉璃厂去玩上半天。同平常日子差不多同时候起床，吃过茶坐一会儿之后，便出门前去，走进几家熟识的碑帖店里，让进里边的一间屋内，和老板谈天。琉璃厂西门有店号“敦古谊”的，是他常去的一家，又在小胡同里有什么斋，地名店名都不记得了，那里老板样子很是质朴，他最为赏识，谈的时间最久。他们时常到外省外县去拓碑，到过许多地方，见闻很广，所以比书店伙计能谈。店里拿出一堆拓本来，没有怎么整理过的，什么都有，鲁迅便耐心的一张张打开来看，有要的搁在一旁，反正不是贵重的，“算作几吊钱吧”就解决了，有的鲁迅留下叫用东昌纸裱背，有的就带走了。他也看旧书，大抵到直隶书局去，可是买的很少，富晋书庄价钱奇贵，他最害怕，只有要买罗振玉所印的书的时候，不得已才去一趟，那些书也贵得很，但那是定价本来贵，不能怪书店老板的了。

从厂西门往东走过去，经过一尺大街，便是杨梅竹斜街，那里有青云阁的后门，走到楼上的茶社内坐下，吃茶点替代午饭。那里边靠墙一带有高级的坐位，都是躺椅，鲁迅不但嫌它枕垫不洁，而且觉得那么躺着吃茶可以不必，懒洋洋的样子也很难看，所以他总是挑选桌子坐的，靠边固然更好，否则屋子中央的方桌也没有什么关系。泡茶来了之后，照例摆上好些碟子来，这与南京茶馆的干丝相同，是堂倌额外的收入，鲁迅不吃瓜子，总适宜的吃他两三样蜜饯之类，末了叫包子汤面来吃，那东西很是不差，我想和东安市场的五芳斋比较，大概是有过之无不及吧。从青云阁正门出来，便是观音寺街，买点日用什物回会馆去，已是二时以后，来谈闲天的客人也就渐渐的要到来了。

故家后记

这本书的写成与出版全是偶然的，最初给上海的《亦报》写稿，每天写一段，几乎没有什么结构，而且内容以事实为主，不杂议论，这个限制固然很有好处，但同时也就有了一个缺点。五六十年前左右的事实，——因为我最初是想只讲到庚子为止的，——单靠记忆怎么能行？有些地理的位置，历史的年代，有可查考的还可以补订，家庭个人的事情便无法核对，因为有关系的人八九都是不在了。但是我总还怀着这么一个希望，有哪一位读者给我帮助，能够正误补阙，使这缺点多少补救一点过来。这个愿望却幸能达到一部分，因为我在今年春间得有机会和仁房义支的族叔冠五先生通信，承他指示出几处错误，还有好些补充，使我能写成这一节后记，在我是很欣幸，对于读者也正是很有益处的。冠五叔谱名凤纪，字官五，后改冠五，小名曰朝，是藕琴叔祖的儿子，他在陕西生长，于一九〇一年回家，和我们一同住在新台门里，直至一九一九年台门卖掉为止。他是我们叔辈，但年纪比较要小两三岁，所以在好些年中，朝叔叔差不多是我们的顶好朋友，在《百草园》中本该讲到他，但是我始终想以庚子为界限，所以把关于他的话搁置起来了。他看了《故家》之后，提出些可珍重的意见，依原书页数写下，现在也就照样的抄录，随时加上一点必要的案语，以供读者参考。

四页（本书第11页）：新台门项下说覆盆桥周家派别不很清楚，我以为应该这样的记述。覆盆桥周家分作三房，叫作致（长房）中（次房）和（小房）三支，本来都住在一个台门里，即是老台门。后来因生齿日繁，致房又析为智、仁、勇三个分支，中房也析作恕、慎、裕三个分支，仅和房丁衰单传，没有分支。（案十一世十五老太爷以坶还是由智房承继过去的）原有屋宇不敷分配，于是在东昌坊和覆盆桥堍迤南各建住宅一所，台门和厅堂以及厅匾抱对，样式色泽都和老台门一律。落成后，把致房的智仁两分支析居东昌坊的新台门内，又把中房的恕慎两分支析居桥南的过桥台门内，其致房的勇支，中房的裕支连同和房都留居原处即老台门。概括一句话，凡是留在老台门的都是小房。(和房本系小房，勇是致房的小房，裕是中房的小房。)

五页（本书第12页）：张永兴寿材店是吴万盛之误。案此处不据以改正，因为凭我的记忆是张永兴，又平常总认为在都亭桥下兼营荤粥面食生意的他们家属是姓张，所以在没有更客观的证明之前，不想依据别个人的记忆来改正自己的记忆了。

六页（本书第14页）：“三间头”据老辈传说系为防止火烛，储藏柴草用的。但有一个时期也曾有人住过，就是六四的姑夫陈秋舫（章锡）夫妇，他们结婚后，以新姑爷的资格住在这里，大概时间还很长吧。那时秋舫还只是个秀才，他在岳家留连忘返，介孚公素性好批评人家的长短，对他曾批评说：“在布裙底下躲着的是没出息的东西。”这话传进了秋舫的耳朵，他立向岳家告辞，说：“不出山不上周家门。”后来果然他也中了进士，但不做官而就幕。科场事发，恰巧苏州府知府是王仁堪，他的刑名幕友正是陈秋舫，王仁堪以案子太大，牵涉过多，要想消灭，向秋舫商讨办法，秋舫坚执不允，说非揭参法办不可，也就是他的乘机报复。

四九页（本书第81页）：三味书屋的同学中，“小头鬼”不姓余，原名吴书绅。胡某名胡昌熏、张翔耀乃是章翔耀之误。（案本文中已改正。）仁寿即梅卿。案仁寿盖是小名，我们叫他仁寿叔叔，号乐山（“乐”字读作“耀”，出典是与仁寿有关的），后改字梅卿，今尚健在。

五一页（本书第84页）：广思堂的塾师名为王陶如。

五二页（本书第85页）：鹏更岁考的事，据梅卿说当系鹏飞之误。案此说未可信。本书所说的系根据鲁迅，所传明说系瀌哥（鹏更字涧邻，盖与小字瀌相关，或误作“传”非）的事，而且强调他跛行的情状，鹏飞字洙邻，小名泗，与他无关。

五四页（本书第89页）：沈老八名守愚，诨名大头阿八，他也是一个塾师，屡应童试不利，其得意佳作中有“肚子饿、身上寒”等警句，常常对人背诵。他的住屋系老台门西面的一部分，为中房所有，他系向中房典用者。

六一页（本书第99页）：朱小云是朱可铭之误。他名叫鸿猷，后改天蒸，字可民，是鲁迅前妻之弟。案原文是引用己亥日记，不拟改正，或者他那时候曾叫作小云，亦未可知。

六四页（本书第103页）：戊戌六月玉田公去世，是丁酉之误。案此处原文不误。查辛丑日记，六月十九日项下云：玉田叔祖三周年拜忏。又我于丁酉年初往杭州，至戊戌五月回家，玉田公去世的时候我曾往送入殓，所以不可能是在丁酉年间。

六六页（本书第106页）：义房十二世兄弟中间，应把瀫臣（即恩老爷，亦称恩官）加入，藕琴公下应加“子四，长冠五，次凤华、凤翎、凤安，返绍时只剩冠五一人，馀皆夭折，因瀫臣无子女，以冠五兼祧”。

七一页（本书第114页）：施姓师爷即施理卿，名燮。那时他由幕而官，所以离开南京，辛亥后还曾做过江海关监督，湖北交涉员兼海关监督，并未先归道山。

七二页（本书第115页）：周氏子弟往南京进水师学堂的共有五人，因为继你之后还有一个我。我到南京后住在椒生的后半间，由你和奚清如给我教英文，预备英文稍有门径，再予补入，据椒生告我说要先读好英文的。我是一九〇二年壬寅二月同伯㧑到南京，未及补入副额，即于秋季因疟疾而由仲阳送回，年下椒生回家，藕琴公责其不肯给我补入，因之两老兄弟大闹一场，所以第二年我就不往南京而进府学堂肄业了。

七四页（本书第118页）：椒生在绍兴府学堂是总办，徐锡麟是副办。你到府学堂来是来看我的，这我还记得。

七五页（本书第119页）：说利宾搬在大门内的大书房，其实他们是搬到内堂前东屋的后面披厢里去了。

七九页（本书第125页）：讲《西游记》项下可以这样补充说明：藕琴公在陕西做钱谷幕友，在华阴、长安、富平一带。他和介孚公同在辛丑（一九〇一）年先后回绍，两老兄弟久别重逢，乍见格外亲密，介孚公时常到他那里去谈天。介孚公向来是欢喜谈论人家的短长的，因之往往谈到衍太太的那一件事，一而再的谈论不已。藕琴公素性是刚而且扭的，所以他的小名是叫铁牛，有一天又谈到这事了，藕琴公就说这其实也没有什么，“有寡妇见鳏夫而欲嫁之”这句成语，也就说的是这些旷夫怨女吧！你想他们近在咫尺，年龄相近，而又正是一鳏一寡，虽然有乖伦常，却也是人情，你何必一再的刺刺不休呢？介孚公听了大不以为然，于是反驳说道，那末猪八戒游盘丝洞也是合乎情理的了。自此以后，他们两人一碰到，介孚公就大讲其《西游记》，而所讲都只限于盘丝洞这一段，大堂前恰巧正是衍太太住房的窗口，所以藕琴公只好却步不前了。案冠五叔的这一段补充对于本书最有价值，因为有了它那讲《西游记》的意义才得明了。我在本文中也曾经说及冠五，希望他能了解，现在果然达到目的，这在我觉得是十分可喜可感谢的事。

八〇页（本书第 126 页）：伯升进水师学堂，由椒生为改名曰文治，号则仍旧。伯升那时外出，常常叫我替他帮忙，因为我是住在椒生房里的，他未出去以前，先到椒生房里来打一个照面，对我做鬼脸，我就把他那红皮底响鞋拿到外面去等着，等他出来经过椒生窗口以后，换上响鞋而去。换下来的旧鞋由我拿进房里代为收藏，到晚上约定时间到了，我再拿着旧鞋去等，好在椒生是深度近视，所有一切的做鬼脸，和旧鞋响鞋的掉进掉出，他都是不接头的。

九三页（本书第 145 页）：给桐生募钱买一套卖麻花烧饼的家伙，和替他向麻花摊担保的，乃是伯执而不是仲翔，这是蓝老太太和谦少奶奶在骂桐生的时候，每次据为口实的。至于仲翔他是一个势利刻薄的人，他不向桐生剥削，已属万幸，哪肯干这样赔钱负责的傻事情呢？所以他在新台门卖掉后，拼住到老台门里，在他将死的前两年，也和他的老父一样，念经茹素，忏悔平生了。

九四页（本书第146页）：在有一年年终，椒生和藕琴公在祝福祀神后，说起阿桐有好多天没有出来了，该要饿死了吧？他两人商量着叫我和仲翔各去拿了廿块年糕两串粽子，由我和仲翔拎着糕粽照着灯，四个人一道到大书房。桐生是面墙躺着，见了亮光，抬头一看，仍复躺下。仲翔叫了两声“桐店王”，椒生和藕琴公接着说，这是给你过年的，你慢慢的吃，一下子吃的太多是要吃坏的。他却仍然高卧，爱理不理的说：“安东好者！”（放在那里好了）根本不是馒头，也不是仲翔的事。你的记载大概是误信了仲翔的谰言吧。案这两则关于桐生的订正都很好很有价值。仲翔的势利刻薄大家也多知道，但他人很聪明，戊戌以后就颇有新党的气味，当时与鲁迅很谈得来，因此时常听他的谈话，无意中就把有些谰言也听了下来了。

九七页（本书第151页）：十五老太爷一直活到己亥以后，己亥是一八九九年，我于一九〇一年辛丑回到绍兴的，还曾见过他。

一〇九页（本书第168页）：近邻以摇船为生的四十，系六十之误。

一二九页（本书第202页）：屠宝林太娘的柴店叫屠正泰。锡箔店的老板名叫王咬脐。

一三二页（本书第207页）：申屠泉不是被人抛砖击死的，乃是和一个名叫阿意的泥水匠盗掘了朱姓的祖坟，事发潜逃，不知所终。

一三四页（本书第211页）：傅澄记米店老板名傅阿三，小老板傅德全。

一三五页（本书第213页）：屠宝林太娘还有两个儿子，一名阿焕，已娶妻，一名阿燮，没有成家，本来都是锡箔司务，后来不知为何均出外谋生。阿燮一去不返，传说已做了和尚；阿焕回来过一次，再出去以后就不知去向了。

一三六页（本书第215页）：唐将军庙在长庆寺南首，庙与寺之间尚隔一关帝庙，不过里面和寺是走得通的。穆神庙在长庆寺的斜对面，说间壁误。

一四三页（本书第229页）：鲁老太太的放脚是和我的女人谢蕉荫商量好一同放的。“金鱼”在说了放脚是要嫁洋鬼子的话以外，还把她们称为“妖怪”。金鱼的老子（即椒生）也给她们两人加了“南池大扫帚”的称号，并责藕琴公家教不严，藕琴公却冷冷的说了一句：“我难道要管媳妇的脚么？”这位老顽固碰了一鼻子灰，就一声不响的走了。

此外有一条不注明页数，现在并录于此，看来或者是该属于五七页（本书第94页）的吧。这条特别有题目云《蒋老太太的幽默》：

有一天乔峰到我家来，回去的时候恰巧“金鱼”正在大发其呆病，双手插腰，站在后边的白板门（蓝老太太窗外的那道单扇门）中间，乔峰从他的腋下擦过，“金鱼”拿起靠在旁边的长旱烟袋，向乔峰头上掴了一下，口说：“见长辈为什么不叫！”乔峰回去告诉了蒋老太太，她正在吸旱烟，一声不响，一边吸烟，一边走到神堂下坐下。刚刚“金鱼”怒气冲冲的走出来了，走到蒋老太太的面前，她举起手里的长烟袋，向“金鱼”头上掴了一下，也对她说：“见长辈为什么不叫！你会教训阿侄，我也会教训阿侄。”“金鱼”赶紧说道：“八妈不要生气，阿侄错者，阿侄错者。”

案这个故事当然是真实的吧，虽然我不曾听到家里的人讲过。这作风也与蒋老太太有点符合。八妈意思那是八伯母，因为介孚公在第十二世中大排行第八，而椒生则是十八，所以蒋老太太该是伯母而不是叔母了。原文注云：乔峰那时大概是十五六岁，那末该是在壬寅癸卯（一九〇二至一九〇三年）之间吧。

一七〇页（本书第285页）：浙江初任教育司长是名钧业的沈馥生，而不是衡山，大概是由钧业误忆到钧儒吧？案此处本文中所说不误，我到在杭州头发巷的教育司去住过一个多月，看见沈衡山好多次，不会得误记。沈钧业虽是绍兴人，常听陈子英说起，却始终没有见过面，所以和他是毫无关系的。

（一九五四年十月二十日）

图书在版编目(CIP)数据

鲁迅的故家/周作人著作;锺叔河编订. —长沙:岳麓书社,2020.10

ISBN 978-7-5538-1210-6

Ⅰ.①鲁… Ⅱ.①周…②锺… Ⅲ.①周作人(1885—1967)—回忆录

Ⅳ.①K825.6

中国版本图书馆 CIP 数据核字(2019)第 284629 号

LUXUN DE GUJIA

鲁迅的故家

周作人著作 锺叔河编订

特约编辑:鄢 琨

责任编辑:蒋 浩

责任校对:舒 舍

书籍设计:风格八号

岳麓书社出版发行

地址:湖南省长沙市爱民路 47 号

直销电话:0731-88804152 0731-88885616

邮编:410006

版次:2020 年 10 月第 1 版

印次:2020 年 10 月第 1 次印刷

开本:787mm×1092mm 1/32

印张:12.625

字数:195 千字

印数:1—6 000

ISBN 978-7-5538-1210-6

定价:35.00 元

承印:长沙鸿发印务实业有限公司

如有印装质量问题,请与本社印务部联系

电话:0731-88884129